À mon père

Bernard Demers, Ph.D.,
professeur au
Département de psychologie,
Collège Édouard-Montpetit,
Longueuil

LA MÉTHODE SCIENTIFIQUE EN PSYCHOLOGIE

**Deuxième édition
revue
et augmentée**

Décarie, éditeur
Montréal

Maquette de la couverture,
phototypographie et montage:
Les Ateliers Le Polygraphe

Dépôt légal 1er trimestre 1982
Bibliothèque Nationale du Québec

Décarie, éditeur inc.
233 avenue Dunbar
Ville Mont-Royal, Québec
H3P 2H4

ISBN 2-89137-014-7

Imprimé au Canada   2   3   4   5   86

Sommaire

Préface à la deuxième édition

Pourquoi une deuxième édition de *La méthode scientifique en psychologie*? Il était possible, après tout, de se contenter d'un second tirage. Toutefois, l'intérêt des utilisateurs du manuel les a amenés à nous suggérer certains compléments. C'est ainsi qu'à la lumière des commentaires reçus certains exercices ont été modifiés et plusieurs erreurs modestement corrigées.

De plus, le livre se trouve substantiellement accru par une toute nouvelle section portant sur le traitement statistique des données expérimentales. Il s'agit d'un texte qui, en termes simples et concrets, présente les notions de moyenne, de médiane, de courbe normale, de variance et d'écart type ainsi que la façon de procéder à un test t. Le lecteur remarquera que les notions ne sont pas présentées de façon exhaustive; en effet, il nous a semblé préférable d'insister sur l'aspect pratique et utilitaire des statistiques dans la méthode expérimentale plutôt que de confronter l'étudiant à une masse indigeste de données théoriques. Par exemple, nous avons traité directement de la variance corrigée plutôt que de nous attarder sur la variance de population, moins pertinente à ce niveau. À l'inverse, il était important de bien indiquer les conditions nécessaires à l'application du test t, ce qui a été fait.

En terminant, certains se demanderont peut-être pourquoi l'auteur ne parle pas du calcul des corrélations. Il y a à cela plusieurs motifs, le premier étant que la corrélation ne fait pas partie de la méthode expérimentale: elle ne permet absolument pas de relier les événements mesurés en terme de causalité alors que c'est là le but de la méthode expérimentale. De plus, le calcul de la corrélation, s'il est fait à la main, s'avère long et pénible. Par contre, s'il est exécuté à l'aide d'une calculatrice, celle-ci est probablement équipée du programme indispensable à ce calcul.

En bref, nous avons voulu corriger les inexactitudes de la première édition, répondre aux demandes qui nous ont été faites et enfin insister sur les notions de base en statistiques plutôt que sur des explications mathématiques rigoureuses. Nous espérons que ces ajouts et modifications auront l'heur de plaire aux utilisateurs

Décembre 1981   *Bernard Demers*

Préface à la première édition

« *Des recherches récentes montrent que la consommation de pommes de terre peut conduire au crime. Une
étude scientifique vient en effet de montrer que 90%
des détenus d'une prison étaient des consommateurs
réguliers de pommes de terre frites et ce, depuis leur
plus tendre enfance...* »

À notre époque où la croyance scientifique remplace souvent
la croyance religieuse, les journaux et la littérature psychologique populaire pullulent de conclusions hâtives qui, malgré
leur apparence de rigueur, ne sont que des exemples d'interprétation abusive d'observations scientifiques. Toute personne qui s'intéresse à la psychologie scientifique devrait en
connaître les fondements méthodologiques de façon à pouvoir se faire une idée précise de la valeur des conclusions

qu'on lui propose. Trop souvent, en psychologie, on a tendance à prendre ses croyances ou celles des autres pour des faits.

Le texte du professeur Demers établit d'une façon souvent humoristique mais toujours rigoureuse les fondements de la méthode expérimentale en psychologie. Les notions essentielles d'hypothèse, de variable, de contrôle y sont exposées clairement et les exercices qui accompagnent le texte permettent au lecteur d'éprouver ses connaissances. Le contenu de ce texte constitue la base de départ essentielle pour tout étudiant qui veut aborder l'étude de la psychologie comme science. Nous ne saurions trop l'inciter à y consacrer quelque temps avant de poursuivre sa démarche.

Luc Granger,
directeur,
Département de psychologie,
Université de Montréal.

Introduction

L'univers est en apparence un ensemble d'éléments chao-
tiques, morcelés, sans aucun lien les réunissant. Quel rapport peut-il bien exister, par exemple, entre une vitre, un tas
de sable et une falaise de roches dures? Il existe en fait des
rapports entre ces trois éléments. La falaise, érodée par l'eau
et le vent, deviendra au cours des millénaires, du sable. Ce
sable, mêlé à d'autres produits et chauffé, se changera en
verre, lequel, coulé puis taillé, donnera une vitre.

Ainsi pour comprendre le monde, il faut apprendre les relations existant entre les divers éléments qui le composent. Ces
connaissances nous permettent de comprendre ce qui nous
entoure et nous mène à acquérir une vue unitaire de l'univers.
Mais il est impossible de tout savoir. De plus, le savoir doit
nous venir d'autres personnes; celles-ci, comment l'ont-elles
acquis?

Plutôt que de vouloir tout savoir, il faut chercher à découvrir comment l'on fait pour comprendre. Autrement dit, il ne faut pas se contenter d'apprendre des autres mais il faut aussi être en mesure de tout redécouvrir soi-même. Bien sûr, vous ne pouvez pas inventer l'Histoire ou réécrire le « Gargantua » de Rabelais. Mais, vous pouvez redécouvrir l'électricité (faites attention!), observer un être humain et expliquer son fonctionnement, constater la température de gel de l'eau ainsi que sa température d'ébullition. Bref, vous pouvez être en mesure de *comprendre*, plutôt que de simplement *savoir*, quelles relations existent entre les éléments de l'univers.

Comment faire pour comprendre? Il faut tout d'abord être curieux. Si rien ne vous intéresse, ne vous intrigue, vous ne comprendrez jamais rien. Il est nécessaire de toujours se demander: comment? Comment un four à micro-ondes cuit-il les aliments sans brûler un sac de plastique? Comment les marées se produisent-elles? Comment les hommes parlent-ils? Comment se fait-il que les images et les sons soient transmis dans l'espace? Comment le soleil fait-il pour brûler pendant des milliards d'années?

Il ne suffit cependant pas de se poser la question. Il est indispensable de chercher la réponse avec un peu d'ordre et de méthode. Cet ordre, cette façon organisée de chercher la réponse à toutes les questions que l'on se pose, c'est la *méthode scientifique*. Que vous soyez psychologue, astronome, anthropologue ou biologiste, vous avez besoin de cette méthode pour tenter, patiemment, de découvrir comment fonctionne le cerveau humain, comment se forment les galaxies, comment s'élaborent les religions animistes ou comment se forment les chaînes d'acide désoxyribonucléique. Même dans la cuisine, si vous voulez faire un gâteau, vous devrez vous demander comment mélanger vos ingrédients.

Cela ne veut pourtant pas dire que nous savons tout. Au contraire, nous commençons seulement à entrevoir la complexité des liens, ou lois, qui relient les divers éléments de l'univers les uns aux autres. Par exemple, nous savons maintenant que certaines usines polluent l'eau des cours d'eau, que cela fait mourir le plancton et les poissons, que si les poissons meurent, d'autres espèces comme les phoques, les ours blancs, les martins pêcheurs disparaîtront. Mais, où se termine cette chaîne? Que faut-il faire?

Toutes ces questions attendent des réponses. Je ne les connais pas; personne ne les connaît. Il y a même des questions que nous n'avons pas encore imaginées.

En utilisant la méthode scientifique, vous serez capable de poser de nouvelles questions, de trouver de nouvelles réponses. La méthode scientifique n'est pas une matière scolaire qu'il faut apprendre par coeur. Elle n'est pas non plus la Connaissance absolue. Elle est à la fois beaucoup plus et beaucoup moins. C'est une façon de regarder le monde, c'est un garde-fou le long d'un ravin. *La science, ce n'est pas la Connaissance, c'est le chemin qui mène à elle.* La méthode scientifique c'est l'art de douter de tout. Il ne s'agit pas de croire, il s'agit de constater et de tenter de comprendre.

Première partie

Introduction à la psychologie scientifique

Se demander ce qu'est la psychologie scientifique c'est à la fois se demander: (a) ce qu'est la psychologie; (b) ce qu'est la science. La première de ces deux questions soulève un nombre de réponses énorme et ces réponses sont souvent divergentes. L'un dira que la psychologie est un art, l'autre un champ d'étude, un autre encore une profession et même, pourquoi pas, un sacerdoce. Pourquoi autant de réponses? Tout simplement parce que ceux qui répondent ne parlent pas tous de la même chose: il n'y a pas une psychologie, il y en a plusieurs. Celle qui nous intéresse s'appelle psychologie scientifique. Pour la définir nous commencerons donc par définir ce qu'est la science.

Petite histoire de la science

Quand la science est-elle apparue? Ce n'est pas lorsque grand-papa Cro-Magnon a découvert qu'un coup de gourdin faisait plus mal qu'un coup de poing.

Ce n'est pas non plus lorsqu'un courageux précurseur a constaté que la laitue était comestible (un mois plus tard, il constatait les effets de la ciguë).

Ce n'est pas, enfin, lorsque la religion, que ce soit en Inde ou en Europe disait: « Là se trouve la vérité, le reste est impossible ».

Alors quand?

Assez récemment, finalement. Vous pouvez penser à Descartes ou à Galilée; Léonard de Vinci? Non. Léonard a inventé bien des choses, dont le parachute et l'hélicoptère: heureusement, il ne les a jamais réalisés ni essayés (autrement il n'aurait pas vécu assez longtemps pour peindre la Joconde!).

LES MÉTHODES PRÉSCIENTIFIQUES

En fait, pendant des milliers d'années, les hommes ont acquis leurs connaissances par des méthodes dites préscientifiques. On peut regrouper celles-ci en trois catégories: la méthode d'intuition, la méthode d'autorité et la méthode de raisonnement.

A. La méthode d'intuition

La méthode d'intuition consiste à se fier à *l'apparence* des faits. C'est ainsi que pense un enfant de 5 ou 6 ans. Par exemple vous venez d'acheter du Coca-Cola. Votre petit frère veut en avoir. Vous voulez bien partager un peu avec lui mais tout en gardant pour vous la « part du lion ». Et ça sera très facile: vous allez l'attraper car vous allez être scientifique et lui est intuitif.

Première étape: vous savez qu'un liquide, en changeant de récipient, ne change pas de quantité (c'est là une loi scientifique appelée loi de l'identité). Mais votre petit frère ne le sait pas.
Deuxième étape: prenez deux verres. Le premier est bas et large. Le second est haut et étroit. Versez 50 ml de la boisson convoitée dans chaque verre. Vous constatez qu'il y a apparemment 4 fois plus de Coca-Cola dans le verre haut car le niveau est plus haut.
Troisième étape: Versez 150 ml supplémentaires dans le verre bas. Il y a maintenant 200 ml dans ce verre et 50 dans l'autre.

Quatrième étape: Prenez le verre bas et large et donnez le verre haut à votre frère.

Cinquième étape: Appréciez les bienfaits de la science pendant que votre petit frère, à cause de sa méthode d'intuition, se satisfait de 50 ml de Coca-Cola.

B. La méthode d'autorité

La méthode d'autorité consiste à se fier à l'opinion d'un « expert ». Ainsi, actuellement, vous vous fiez à moi (cependant vous êtes libre de vérifier mes propos, liberté qui n'existe pas dans la méthode d'autorité). En Occident, le Pape a longtemps été cet expert. L'infaillibilité papale n'était pas uniquement religieuse: si le Pape décrétait que la terre était fixe et que le soleil tournait autour d'elle, c'est que c'était la vérité. Galilée s'est opposé à cette « vérité » et a affirmé que la terre tournait autour du soleil: il a été mis en prison.

Souvent le rôle de l'expert est tenu par le plus grand nombre. Lorsque l'on affirme le contraire de ce que croit la majorité on passe pour un fou, même si on a raison. Par exemple si vous affirmez aujourd'hui que l'automobile est une des pires inventions qui ait été faites et utilisées par l'homme, vous risquez de passer pour un fou. Pourtant on sait que l'automobile est en grande partie responsable de la pollution et est une des premières causes de mortalité dans plusieurs pays.

C. La méthode de raisonnement

La méthode de raisonnement n'est pas mauvaise en soi. Au contraire! Elle est indispensable et sera utilisée en science. Ce qui est dangereux c'est d'utiliser le raisonnement seul, sans vérifier dans la réalité la conclusion à laquelle on aboutit. Trop souvent, les gens pensent ainsi et se construisent une idée du monde qui n'a rien à voir avec la réalité.

La qualité d'un raisonnement dépend de la qualité des prémisses, c'est-à-dire des notions sur lesquelles on se base, et dépend également des liens logiques qui sont établis. Vous pouvez avoir en apparence de bonnes prémisses et de bons liens logiques alors qu'en fait vous raisonnez sur des données fausses: vous obtenez alors une conclusion idiote et vous prétendez avoir raison.

Par exemple: Vous lancez une pièce de monnaie en l'air. Elle retombe du côté pile. Vous relancez la pièce. Elle retombe du côté face. Conclusion: lancée une troisième fois elle tombera du côté pile. Ce raisonnement est faux car les prémisses sont fausses. En effet chaque essai est un événement indépendant des événements précédents: vous avez à chaque fois 1 chance sur 2 que la pièce tombe pile ou tombe face. En théorie, la pièce de monnaie peut tomber 100 fois de suite pile.

Autre exemple: les chiens sont mortels; les hommes sont mortels. Conclusion: les hommes sont des chiens. Ce raisonnement est faux même si les prémisses sont exactes. En effet, le lien logique porte sur un qualificatif commun plutôt que sur les objets eux-mêmes. Deux objets peuvent avoir des points communs sans être identiques pour autant (l'homme et la femme en sont un exemple).

Ces 3 méthodes préscientifiques peuvent être dangereuses car elles arrivent à de mauvais résultats et sont apparemment bonnes. Les fausses connaissances acquises sont alors un obstacle entre l'Homme et la recherche de la vérité.

Le danger c'est d'être persuadé d'avoir raison tout en ayant tort. Ainsi les méthodes préscientifiques ont amené les hommes à imaginer le monde de la façon suivante:

- la terre est plate (il suffit de regarder l'horizon pour le constater);
- donc le soleil tourne autour de la terre;
- les étoiles sont des petits trous dans un grand drap noir; par ces trous nous voyons la lumière du paradis;
- il n'y a pas d'autres terres que celles qui se trouvent autour de la Méditerranée (l'Amérique n'est pas encore découverte).

Par cette connaissance du monde l'Homme s'empêchait lui-même de faire ce que nous pouvons faire maintenant (le tour du monde, aller dans la lune, supposer l'existence d'autres espèces pensantes, utiliser l'énergie solaire, etc...). Faites attention! Dans notre vie de tous les jours nous utilisons surtout les méthodes préscientifiques et les résultats peuvent être aussi mauvais.

Donc, rappelons-nous...

- les méthodes préscientifiques sont au nombre de 3: l'intuition, l'autorité, le raisonnement;
- ces méthodes peuvent, par hasard, arriver à une conclusion qui correspond à la réalité mais le plus souvent les conclusions obtenues sont fausses;
- le grand danger c'est que les gens qui les utilisent sont persuadés d'avoir raison. C'est le fanatisme du « parce que c'est comme ça »;
- dans certains cas les conclusions sont indémontrables et donc impossibles à critiquer. Il s'agit d'un acte de foi et pas d'une démarche rationnelle.

LES MÉTHODES SCIENTIFIQUES

La science se caractérise essentiellement par ses méthodes de travail. Les encyclopédistes comme Diderot ont, au XVIIIe siècle, élaboré la classification de type scientifique. Mais la science, c'est plus qu'une méthode de classification (autrement l'annuaire téléphonique serait un ouvrage scientifique, les noms y étant classés par ordre alphabétique), c'est surtout une méthode de travail et une disposition de l'esprit. Une définition acceptable de la science serait: « un ensemble de connaissances précises et *vérifiables* acquises par des *méthodes* spécifiques ».

Pour comprendre la science, il faudra donc comprendre ses méthodes de travail. En effet c'est par ces méthodes que les connaissances sont acquises, et qu'elles peuvent être, par la suite, revérifiées: une connaissance scientifique c'est une chose, ou un événement, qui peut être constamment réexaminé et qui donnera toujours le même résultat prévisible.

Cette notion de certitude est à la base de l'esprit scientifique. Être scientifique c'est ne *croire* à rien. Ceci ne veut pas dire que celui qui nie tout est scientifique: tout nier c'est *croire* que rien n'existe! Le scientifique, en ne croyant rien, considère que *tout est possible* mais que *tout doit être vérifié* par une méthode scientifique.

Par exemple: Je marche dans un champ un samedi matin. Brusquement je vois un éléphant rose voleter tranquillement d'un arbre à l'autre en faisant « cui-cui ». Je peux:
- crier au miracle, me convertir et passer le reste de mes jours à prier le dieu « Eléphantarose ». C'est là une attitude non scientifique.

- dire qu'il n'y a rien dans le ciel, faire demi-tour jusque chez moi, prendre une aspirine et regarder la télévision. C'est là une attitude non scientifique.
- dire: « Je vois un éléphant rose voler; ou bien cet éléphant rose vole ou bien j'ai l'impression qu'il vole. Si il vole il le fait grâce à une loi physique qui reste à découvrir: s'il ne vole pas c'est qu'une cause matérielle me donne l'impression qu'il vole ». Je peux donc supposer l'une des choses suivantes:

Il vole car:
  — il a découvert l'antigravitation,
  — les extraterrestres le font voler,
  — c'est un ballon en forme d'éléphant.

Je le vois voler car:
  — j'ai trop bu hier soir,
  — c'est un phénomène d'hypnose,
  — c'est un mirage.

Il me reste alors à vérifier chacune de ces suppositions afin de voir laquelle est vraie. C'est là une attitude scientifique.

Laquelle des attitudes que nous venons de considérer apporte le plus à l'humanité? En croyant je fonde une nouvelle religion et je ne fais pas avancer les connaissances. En niant, je ne prouve ni que l'éléphant vole ni qu'il ne vole pas. Par la méthode scientifique, je prouve soit que l'éléphant vole soit qu'il ne vole pas et je trouve la *cause* de ce phénomène. C'est peut-être ainsi qu'un jour nous découvrirons l'antigravitation. En tout cas c'est comme ça que l'avion a été inventé!

Mais quelles sont les méthodes qui vont me permettre de vérifier mes diverses suppositions? De même que les méthodes préscientifiques étaient au nombre de trois, il existe 3 méthodes scientifiques d'acquisition des connaissances: l'observation systématique, la corrélation et l'approche expérimentale.

A. L'observation systématique

L'observation systématique, comme son nom l'indique, consiste à observer systématiquement un événement, c'est-à-dire l'observer non pas subjectivement mais objectivement. Pour être objectif, le moyen le plus simple c'est de faire appel à plusieurs observateurs. Mais, en général, on ne se contente pas de ça: on va aussi *mesurer* le phénomène observé, souvent à l'aide d'appareils.

Il s'agit donc d'émettre une supposition, ou *hypothèse*, puis d'observer l'événement qui nous intéresse afin de vérifier notre hypothèse. Par la suite, l'hypothèse vérifiée devient une connaissance scientifique. De même, l'hypothèse non vérifiée est une connaissance car il est aussi important de savoir que quelque chose n'est pas, que de savoir que quelque chose est.

Par exemple: Le météorologue, le soir, émet une supposition, ou hypothèse, pour le lendemain. Cette hypothèse, il faut le signaler, n'est jamais une question mais toujours une affirmation: elle tente de prédire ce qui va arriver. Le lendemain, le météorologue observe ce qui se passe et vérifie ainsi son hypothèse. Il accumule de l'expérience, c'est-à-dire des connaissances, et il risque de moins en moins de se tromper. De plus, en accumulant ses observations, il peut établir des statistiques et constater qu'en général il fait froid en hiver et chaud en été!

Ainsi monsieur météo prédit: « demain il va y avoir de la pluie accompagnée de vents violents venant du Nord-Est ». Le lendemain il observera le temps qu'il fait. Son observation sera systématique car il va mesurer la quantité de pluie tombée au sol et il va *mesurer* la force et la direction du vent. Il pourra alors *confirmer* ou infirmer son hypothèse.

Autre exemple: Je suppose que l'automobile tue plus de gens en un an que les maladies du coeur, en Amérique du Nord. Pendant un an, je vais dénombrer tous les décès dûs à une maladie cardiaque d'une part, et tous les décès dûs à un accident d'automobile d'autre part. À la fin de l'année, en comparant les deux totaux, je pourrai confirmer ou infirmer mon hypothèse. Cette hypothèse, confirmée ou non, s'ajoute aux autres connaissances déjà acquises par l'humanité.

La méthode d'observation systématique a cependant une limite importante qu'il faut reconnaître: elle ne fait pas ressortir la *cause* de l'événement, même si elle mesure cet événement avec précision. Ainsi, dans le premier exemple, monsieur météo observe qu'il pleut; cette observation systématique lui permet de constater l'*importance*, la *fréquence*, la *force* du phénomène mais ne lui montre pas *pourquoi* il survient. Dans le second exemple on constate que l'accident d'automobile tue plus de gens que la maladie cardiaque. Cependant, cette observation ne nous dit pas quelles sont les *causes* des accidents.

Prenons un autre exemple afin de bien illustrer cette limite de l'observation. L'on peut vouloir vérifier s'il se produit plus d'accidents les jeudi, vendredi et samedi soirs que durant toutes les autres périodes de la semaine. Un dénombrement des accidents d'automobile survenus aux différents jours de la semaine puis la comparaison des totaux permettront de savoir si l'hypothèse est confirmée. Cependant, il faudra procéder autrement pour savoir *pourquoi* il y a plus d'accidents les jeudi, vendredi et samedi soirs. C'est peut-être parce que la consommation d'alcool est plus élevée, ou bien parce que les automobilistes sont plus excités (ou fatigués). L'observation ne le dit pas.

B. La corrélation

Le mot corrélation est formé de *co* et *relation*. *Co* veut dire ensemble. Une corrélation, c'est donc examiner objectivement jusqu'à quel point deux ou plusieurs événements sont en *relation ensemble*. Il s'agit donc de poser une hypothèse dans laquelle on affirme que deux événements se produisent en même temps, ou que deux objets se ressemblent. Dans un second temps il faudra observer systématiquement les deux événements puis comparer les résultats obtenus. Il sera alors possible de voir jusqu'à quel point les deux événements varient ensemble.

Ainsi, je peux vouloir établir une corrélation entre les habitués des salles de concert et les habitués des pièces de théâtre à Montréal. Je mène une enquête, d'une part sur un groupe de personnes assistant à au moins cinq concerts par année et d'autre part sur un groupe de personnes assistant à au moins cinq représentations théâtrales par année. Je les questionne sur leur scolarité, leur revenu annuel, leurs antécédents musicaux et leurs habitudes de lecture et j'obtiens le tableau suivant (données fictives).

	Habitués des concerts	Habitués du théâtre
Scolarité moyenne	14,2 ans	14,4 ans
Revenu annuel moyen	32 500$	31 800$
Ont déjà étudié un instrument de musique	12,7%	3,2%
Lisent trois livres et plus par année	38,9%	42,6%

Je peux donc observer une certaine corrélation entre les deux groupes et je peux même mesurer celle-ci statistiquement. Les résultats d'une telle analyse pourraient m'amener à penser que la clientèle des concerts et du théâtre est la même et que l'habitude de l'un entraîne l'habitude de l'autre.

Mais la corrélation, il faut bien le comprendre, a la même limite que l'observation systématique: elle ne permet pas de connaître la cause, le pourquoi, du phénomène observé. De plus, dans la corrélation, on met en relation deux événements. On est alors facilement tenté de conclure qu'un des événements est la cause de l'autre. On ferait alors une grosse erreur car le fait que deux événements se produisent en même temps ne veut pas dire que l'un est la cause de l'autre.

Par exemple: Vous êtes au supermarché. Au moment précis où, dans une allée, vous passez devant une énorme pyramide de boîtes de conserve, cette pyramide s'écroule dans un fracas retentissant. Il y a une corrélation de 100% entre le moment où vous passez dans l'allée et le moment où les boîtes de conserve tombent. Qu'arrive-t-il? Tout le monde vous regarde d'un air scandalisé car ils croient que vous avez causé la chute de la pyramide: ils vous accusent en fonction d'une simple corrélation. Commencez-vous à comprendre le danger de la corrélation lorsqu'elle est mal utilisée?

N'oubliez pas: la corrélation n'est absolument pas une preuve qu'un événement est la cause d'un autre événement. Elle ne fait que montrer que les deux événements se produisent ensemble.

Prenons un autre exemple: Il y a quelques années, beaucoup de gens critiquaient l'usage de la marijuana. Pour ce faire, ils s'appuyaient sur une corrélation montrant que la majorité des héroïnomanes avaient un jour consommé de la marijuana. Ils en concluaient que la plupart des consommateurs de marijuana deviendraient des héroïnomanes, la consommation de marijuana *causant* la consommation ultérieure d'héroïne. Les tenants de cette théorie supposaient donc l'existence d'une « escalade des drogues ». Il ne s'agit pas pour nous de dire si la drogue est bonne ou non; il s'agit tout simplement de comprendre que l'argument utilisé pour prouver « l'escalade » est un mauvais argument. En effet, toute l'argumentation repose sur une corrélation: or il faut se rappeler qu'une corrélation ne montre pas de *lien causal* entre les événements étudiés.

Pour bien comprendre il suffit d'établir une autre corrélation au sujet des héroïnomanes: un fort pourcentage des héroïnomanes ont été allaités au sein maternel. Si on utilise la corrélation comme preuve d'un lien de causalité, il faut admettre que la consommation du lait de sa mère *cause* la consommation d'héroïne. La théorie de l'escalade, si elle ne se base que sur la corrélation, est aussi ridicule que la théorie que nous venons d'énoncer. Le fait que la corrélation ne prouve pas qu'un événement est la cause d'un autre ne signifie pas qu'il n'existe pas de liens de causalité. En effet la corrélation ne prouve ni qu'il y a de lien de cause à effet ni qu'il n'y en a pas.

Ainsi il existe une très forte corrélation entre la consommation de cigarettes et l'apparition du cancer. Cependant cette corrélation ne suffit pas à prouver que la cigarette cause le cancer. Il a fallu faire d'autres expériences pour en faire la preuve. La corrélation, même si elle n'établit pas de lien de cause à effet, a cependant l'avantage de nous donner un indice supplémentaire par rapport à l'observation systématique. En effet l'observation montre comment varient un ou plusieurs événements. La corrélation va plus loin en nous montrant comment ces événements varient les uns par rapport aux autres. La connaissance acquise par la méthode de corrélation est donc plus complète que la connaissance acquise par l'observation.

Par exemple: Reprenons l'observation faite sur le nombre d'accidents d'automobiles selon les différents jours de la semaine. Cette observation nous a permis de savoir qu'il y avait plus d'accidents les jeudi, vendredi et samedi soirs. Cependant la cause de ces accidents reste inconnue.

Par la corrélation nous pouvons comparer la quantité d'alcool bu   selon les jours de la semaine à la quantité d'accidents survenus durant la semaine. Supposons qu'on obtient alors le graphique suivant:

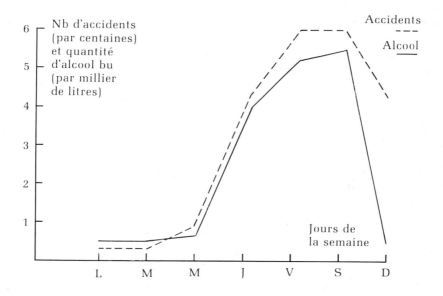

Figure 1. Nombres d'accidents d'automobile et quantités d'alcool bu pour chaque jour de la semaine.

Le graphique montre bien que la quantité d'alcool consommée varie de la même façon que la quantité d'accidents. Cette corrélation entre l'alcool et les accidents ne nous permet pas encore d'affirmer que l'alcool *cause* les accidents mais elle nous indique que c'est là une possibilité. À partir de cette corrélation nous pourrons donc pousser davantage notre recherche sur l'effet de l'alcool. Ceci sera fait grâce à la troisième méthode scientifique.

C. L'approche expérimentale.

L'approche expérimentale se différencie des deux méthodes précédentes par le fait que son but premier est de vérifier l'existence d'un lien de causalité, c'est-à-dire d'un lien de cause à effet. Cette fois encore il faut émettre une hypothèse puis la vérifier dans les faits. Cependant, plutôt que d'observer un ou plusieurs événements, nous allons cette fois les manipuler. Autrement dit plutôt que de *regarder* un événement nous allons intervenir pour le *provoquer*. Par exemple il peut être utile de vérifier si la ceinture de sécurité diminue le nombre et la gravité des blessures en cas d'accident d'automobile.

Dans l'observation, comme dans la corrélation, nous devrions comparer les blessures subies par des automobilistes portant leur ceinture au moment de l'accident aux blessures subies par des automobilistes qui ne la portaient pas. Malheureusement nous ne pourrions pas affirmer que la ceinture, lorsqu'elle est portée, *cause* une diminution de la gravité des blessures. En effet tous les accidents d'automobile ne sont pas comparables entre eux. Ainsi Monsieur X s'est tué en portant sa ceinture (sa voiture est tombée dans les chutes du Niagara) et Monsieur Y n'a rien eu en ne la portant pas (il a effleuré une autre voiture en garant la sienne). Nous voyons bien qu'il est difficile, si ce n'est impossible, d'attribuer ce qui est dû à la ceinture et ce qui est dû à d'autres facteurs.

Que faudrait-il faire? Il faudrait maintenir tous les autres facteurs constants, c'est-à-dire ne pas les faire varier, et faire varier la présence ou l'absence de ceinture de sécurité. Mais pour empêcher des facteurs de changer et pour faire varier un seul facteur, il nous faut *intervenir* dans la réalité. Nous allons donc utiliser l'approche expérimentale.

Posons d'abord l'hypothèse suivante: « le fait de porter la ceinture de sécurité permet de réduire le nombre et la gravité des blessures subies en cas d'accident ». Nous allons vérifier cette hypothèse en provoquant des accidents... avec des mannequins sur une piste d'essais (le scientifique n'est pas là pour assassiner les gens!). Tantôt les mannequins porteront la ceinture et tantôt ils ne la porteront pas.

Mais il ne suffit pas de faire varier le facteur ceinture. Encore faut-il contrôler les autres facteurs, soit:
- la marque de la voiture (pensez-vous qu'une Mini Austin résiste aussi bien à un accident qu'une Rolls Royce?).
- la vitesse de la voiture au moment de l'accident (rencontrer un mur de béton à 90 km/h et à 10 km/h ne produit pas le même résultat).
- la nature de l'obstacle sur lequel la voiture sera projeté (un mur de béton va vous faire plus mal qu'un mur en caoutchouc-mousse).

Pour vérifier notre hypothèse nous utiliserons 100 mannequins identiques. De ces mannequins, 50 seront placés dans des automobiles identiques et ce *en étant attachés* par une ceinture de sécurité. Chaque automobile sera projetée à 90 km/h sur un mur de béton situé à 300 m de distance. Les 50 autres mannequins seront placés chacun dans une automobile identique et ce *sans être attachés* par une ceinture de sécurité. Chaque véhicule sera projeté à 90 km/h sur un mur de béton situé à 300 m de distance.

Il suffit alors de comparer l'état des 50 premiers mannequins à l'état des 50 autres. Supposons que nous constatons alors que les mannequins *avec* ceinture ont, en moyenne, une blessure chacun, cette blessure n'étant pas « grave » (bras cassé, oreille arrachée, etc...) alors que les mannequins *sans* ceinture ont, en moyenne, dix blessures chacun, ces blessures étant très graves (poitrine enfoncée, décapitation, etc...), nous pouvons *affirmer* que le fait de porter la ceinture *cause* une baisse dans le nombre et la gravité des blessures: l'hypothèse est confirmée, le lien de cause à effet existe.

Dans l'exemple que nous venons de voir, le lien de cause à effet a été démontré (l'hypothèse ayant été confirmée). Cependant il ne faut pas oublier que le but d'une recherche n'est pas de *prouver* que l'hypothèse est bonne mais bien de *vérifier* si elle est exacte ou si elle est fausse. En d'autres termes une recherche est valable non pas parce que son hypothèse est démontrée mais bien parce que sa méthodologie est bonne.

L'exemple de la ceinture de sécurité aurait pu aboutir à une infirmation de l'hypothèse: la recherche n'en aurait pas été mauvaise pour autant. Ainsi nous pourrions émettre l'hypothèse: « le fait de porter la ceinture de sécurité augmente le nombre et la gravité des blessures subies lors d'un accident ». La même recherche serait alors exécutée. Mais les résultats infirmeraient l'hypothèse que nous venons de poser. Il nous faudrait conclure que le port de la ceinture de sécurité diminue le nombre des blessures.

Nous voyons donc que ce n'est pas le fait de confirmer ou d'infirmer l'hypothèse qui est important. Ce qui est important c'est la qualité de la méthode utilisée: notre conclusion sera juste si la méthode est bonne.

Retenez donc que le but de la méthode d'approche expérimentale n'est pas de prouver que l'on a raison mais bien d'acquérir une connaissance. On ne cherche pas à *prouver* une hypothèse mais à la *vérifier*. Pour bien comprendre l'avantage de la méthode expérimentale sur les deux autres méthodes scientifiques nous pouvons reprendre l'exemple des accidents d'automobile.

La méthode d'observation vous a permis de constater qu'il y a plus d'accidents les jeudi, vendredi et samedi soirs. Cependant cette méthode ne nous dit pas à quoi sont dus ces accidents.

Puis nous avons utilisé la méthode de corrélation. Celle-ci nous permettait de découvrir que, parallèlement à l'augmentation du nombre d'accidents les jeudi, vendredi et samedi soirs, il existe une augmentation de la consommation d'alcool les mêmes soirs. Nous voici sur une piste intéressante! Serait-il possible que l'alcool *cause* des accidents d'automobile? Nous allons vérifier cela par la méthode expérimentale.

Posons d'abord une hypothèse à partir des connaissances déjà accumulées. Il apparaît plausible que l'alcool soit responsable des accidents: nous poserons donc notre hypothèse dans ce sens.

Hypothèse: « l'augmentation du taux d'alcool dans le sang augmentera le nombre d'erreurs commis par un sujet humain lors de l'exécution d'une tâche ».

Afin de vérifier cette hypothèse il faut:

1. faire varier le facteur taux d'alcool;
2. maintenir stables les facteurs sujet, tâche, fatigue, heure de passation du test;
3. mesurer le nombre d'erreurs commises à la tâche.

Pour ce faire il est possible de prendre 100 sujets humains, 50 hommes et 50 femmes. Ces sujets devront exécuter une tâche de conduite d'automobile sur un simulateur. Seront considérés comme erreur tous les stops non exécutés, tous les feux rouges brûlés, tous les franchissements de ligne pleine et, pour finir, tous les non-respects des distances de sécurité (une longueur de voiture par 12 km/h).

Les 100 sujets se présenteront un vendredi soir au laboratoire. Chacun recevra alors une injection d'eau distillée: le taux d'alcool dans le sang sera vérifié (il doit être de 0,00%). Chaque sujet exécutera alors la tâche. Le nombre d'erreurs pour tous les sujets sera divisé par 100 afin d'obtenir la moyenne du nombre d'erreurs commises sans l'influence de l'alcool.

Les 100 sujets se présenteront une semaine après au même endroit. Cette fois chacun recevra une injection d'alcool. Cette injection sera calibrée en fonction du poids de chaque sujet afin que tous aient un taux d'alcool dans le sang de 0,05%. Chaque sujet exécute alors la tâche. Comme il y a une semaine que la tâche a été exécutée l'effet d'un apprentissage de la part des sujets n'est pas à craindre (mais si l'intervalle de temps avait été plus court il aurait été nécessaire de contrôler ce facteur). Cette fois encore il faut calculer la moyenne du nombre d'erreurs commises.

Enfin dans un troisième temps, après un nouveau délai d'une semaine, les sujets recevront une injection d'alcool qui leur donnera un taux d'alcool dans le sang de 0,12%. Et une fois encore nous calculerons la moyenne du nombre d'erreurs commises lors de l'exécution de la tâche. Supposons que nous avons alors les résultats suivants:

Taux d'alcool	Moyenne des erreurs
0,00%	3
0,05%	9
0,12%	63

Les résultats montrent que plus le taux d'alcool augmente plus le nombre d'erreurs augmente particulièrement entre 0,05% et 0,12% d'alcool dans le sang. Il semble donc que le seuil de 0,08% de l'ivressomètre est des plus justifié: vous ne risquez pas seulement une contravention si vous conduisez en état d'ivresse, vous risquez aussi de vous tuer (et de tuer les autres). En effet le nombre d'erreurs commises à plus de 0,08% est de beaucoup plus élevé qu'en temps normal.

Donc, rappelons-nous...

- l'esprit scientifique c'est de ne *croire* à rien mais de tout considérer *comme possible*; cependant, avant d'accepter un phénomène comme réel il faut le *démontrer*.
- une connaissance scientifique peut être constamment réexaminée; elle donnera toujours le même résultat *prévisible*.
- il existe trois méthodes scientifiques d'acquisition des connaissances: l'observation, la corrélation et l'approche expérimentale.
- chacune de ces trois méthodes tend à *vérifier*, et non pas à prouver, l'exactitude d'une hypothèse; une hypothèse est une affirmation prédictive.
- l'observation permet de *constater* le comportement d'un phénomène.
- la corrélation permet de *constater* comment deux ou plusieurs phénomènes varient l'un par rapport à l'autre. Elle ne permet absolument pas de conclure à un *lien de cause à effet* entre les phénomènes étudiés.
- l'approche expérimentale a l'avantage de faire ressortir les liens de cause à effet pouvant exister entre deux ou plusieurs phénomènes. Ceci suppose que le chercheur manipule certains facteurs et en maintienne d'autres stables.

Petite histoire de la psychologie

Maintenant que nous avons vu un peu ce qu'est la science nous allons essayer de comprendre ce qu'est la psychologie. Ou plutôt, car il est impossible de définir vraiment la psychologie dans son ensemble, nous allons raconter ici l'histoire de la psychologie et ainsi nous pourrons comprendre comment sont nées les grandes tendances de la psychologie contemporaine.

Récemment, c'est-à-dire il y a à peine 4000 ans, les premiers philosophes connus ont élaboré des théories explicatives de l'univers. Bien sûr, grand-papa Cro-Magnon, et peut-être même grand-oncle Néanderthalien, avaient déjà travaillé le sujet. Cependant comme grand-papa et grand-oncle ne savaient pas écrire, leur opinion n'est pas parvenue jusqu'à nous (vous voyez l'importance de l'instruction).

Heureusement, des gens comme Socrate, Platon, Aristote et Épicure parlaient et écrivaient une langue très élaborée. De plus, leurs philosophies ont eu un tel succès que des centaines de gens se sont chargés, depuis leur mort, de nous transmettre leurs théories (en les modifiant parfois au passage comme pour ce pauvre Épicure qui passe maintenant pour un joyeux jouisseur).

La philosophie à cette époque s'occupait d'un peu de tout. Mais, bien vite, les mathématiques, l'astronomie et la médecine s'en détachèrent. Ces nouveaux champs de connaissances se développèrent chacun de leur côté. Ils ont cependant un point commun: ils se développèrent très lentement! Par exemple, en astronomie, où il fallut attendre Copernic et Galilée pour que la terre soit considérée comme tournant autour du soleil plutôt que l'inverse. Quant à Pluton, la neuvième planète, elle ne fut découverte qu'en 1930.

Il en va de même en médecine où Hypocrate, le plus célèbre médecin de l'Antiquité, prescrivait de l'ivoire pilé mélangé à du sang de tortue. Il a fallu attendre Ambroise Paré, le médecin de Henri III, Roi de France, pour que l'on cesse de soigner les blessures en y versant de l'huile bouillante. Et à l'époque de Molière les médecins se chicanaient encore pour savoir si le sang était immobile dans le corps ou s'il circulait. Quant aux traitements du cancer et de la sclérose en plaques ils sont encore à venir.

Pour la psychologie les choses allèrent tout aussi lentement. Il serait même plus honnête de dire qu'elles allèrent plus lentement encore. En effet le mot « psychologie » vient de deux mots « psyché » et « logos ». Psyché signifie *pensée* et logos *connaissance*. La psychologie a donc pour but la connaissance de la pensée c'est-à-dire comprendre le mécanisme de la pensée.

Si les choses allèrent plus lentement pour la psychologie que pour la médecine ou l'astronomie c'est que la pensée humaine est un domaine qui a très longtemps été confondu avec l'âme humaine. Or l'âme c'est un domaine réservé à la religion et celle-ci ne plaisantait pas avec les hérétiques qui n'acceptaient pas les dogmes de foi. Comme personne n'aime finir brûlé vif, personne ne s'intéressait à la psychologie.

Heureusement, cette mode de mauvais goût ayant passé, la psychologie commença. Mais elle commença lentement. Ce n'est qu'avec Charcot, à la fin du XIXe siècle, que les « fous » ne furent plus enchaînés et eurent des ustensiles pour manger. C'est aussi à cette époque que le mot « fou » cessa d'être systématiquement utilisé. D'un autre côté quelqu'un comme Binet, lui, inventait le premier test d'intelligence.

En 1900 la psychologie, ou science de la conscience, comprend deux grandes écoles. Ces deux grandes écoles privilégient l'introspection comme voie d'accès aux processus mentaux. En d'autres termes cela veut dire que ces deux écoles utilisent une méthode d'observation non objective: introspecter c'est décrire ce qu'on ressent à l'intérieur de soi. Il est alors bien difficile d'être objectif (on n'ose pas tout dire, et même si on le dit ceci n'explique pas forcément le phénomène; par exemple, je peux ressentir de la faim et expliquer que j'éprouve une sensation dans mon estomac; ceci ne montre ni l'existence des sucs gastriques ni le fonctionnement du cerveau).

Ces deux grandes écoles, tout en étant d'accord sur la méthode de travail (l'introspection), n'étaient pas d'accord sur leur but. Ainsi la première école, celle du « structuralisme», veut étudier l'*anatomie* de l'esprit, c'est-à-dire comprendre la *structure* de la conscience. Cette école veut donc savoir quelles sont les différentes parties qui forment la conscience exactement comme l'anatomiste veut savoir quelles sont les différentes parties du corps.

La seconde école, celle du « fonctionnalisme », veut étudier la *physiologie* de l'esprit, c'est-à-dire la façon dont opère la conscience. Cette école veut donc connaître le fonctionnement de la conscience exactement comme le physiologiste veut savoir comment fonctionne le corps.

Le structuralisme et le fonctionnalisme, malgré leurs différences, n'en ont pas moins une même conception de la psychologie. En effet, il s'agit d'étudier la « conscience », c'est-à-dire les processus conscients comme la mémoire, la perception, la personnalité etc... À cette époque, la psychologie se définit comme « la science de la conscience ».

Pourtant cette définition de la psychologie n'est pas la seule possible. Ainsi, une seconde définition apparaît rapidement: Freud, en développant la notion d'inconscient, fait apparaître l'idée de « psychologie, science de l'inconscient ».

Cette nouvelle conception de la psychologie prend énormément d'ampleur au début du siècle. Il ne s'agit plus d'étudier les processus conscients mais plutôt de comprendre le comportement d'un individu à partir du contenu de son inconscient. La méthode d'introspection continue, dans ce nouveau contexte, à être utilisée. Toutefois, le symbole prend aussi une grande importance: ce que le patient décrit par introspection est le symbole de ce qui se passe au plan inconscient. Le psychanalyste doit décoder ces symboles. De plus, alors que la psychologie « science de la conscience » s'intéresse aux individus « normaux » pour dégager les grands principes régissant les processus conscients, la psychologie « science de l'inconscient» s'intéresse particulièrement aux individus « anormaux » et généralise ses résultats à l'ensemble des individus.

Il apparaît, dès lors, que ces deux conceptions de la psychologie vont déboucher, à l'heure actuelle, sur des spécialisations et des applications bien différentes. Mais, avant d'examiner l'état actuel de la psychologie, il nous faut voir une troisième définition.

En effet, parallèlement au développement de l'idée d'inconscient, apparaît une troisième conception basée ni sur le conscient ni sur l'inconscient. C'est « la psychologie, science du comportement ».

Cette troisième façon d'envisager la psychologie est rendue possible par l'apparition de nouvelles méthodes de travail. Déjà, à l'époque du fonctionnalisme et du structuralisme, les psychologues pouvaient évaluer les réflexes, la perception et même l'intelligence. Mais, en plus, les travaux de Pavlov (un physiologiste russe) vont permettre, à partir de 1905, de modifier le comportement d'un organisme vivant et de mesurer l'importance de la modification.

Ainsi, à partir de Pavlov, va apparaître une psychologie qui utilise la méthode expérimentale de façon opérationnelle. C'est la naissance du « behaviorisme » (du mot anglais « behavior » qui signifie comportement).

Actuellement, en psychologie, les trois définitions existent encore. Par exemple « la psychologie science de l'inconscient » est à la base de beaucoup d'interventions cliniques. Il est évident, toutefois, que depuis 75 ans de nouvelles écoles se sont créées: il y a des freudiens, bien sûr, mais aussi des gens davantage influencés par Lang ou encore par Rogers. Il n'en reste pas moins que toutes ces écoles étudient et utilisent la notion d'inconscient.

D'un autre côté, la « psychologie science du comportement » correspond généralement à la recherche psychologique. C'est par les méthodologies scientifiques qu'il est possible d'obtenir de nouvelles connaissances à propos du cerveau, bien sûr, mais aussi à propos de l'apprentissage, de la motivation, des émotions, etc... La méthode de travail que nous allons apprendre est essentielle pour qui s'intéresse aux comportements.

Enfin, « la psychologie, science de la conscience », a rejoint, d'une certaine façon « la psychologie, science du comportement ». En effet, des chercheurs comme Piaget étudient les processus supérieurs conscients comme Wundt le faisait mais en utilisant généralement des méthodes scientifiques plutôt que l'introspection. Ainsi la psychologie scientifique, à travers « la science de la conscience » s'intéresse à l'intelligence, au langage, à la mémoire, à la perception, etc...

En bref, à partir de trois grandes définitions de la psychologie, chacune étant associée à une méthode de travail, il est possible de considérer, aujourd'hui, deux grandes conceptions de la psychologie. La première de ces conceptions a hérité de Freud la notion d'inconscient et travaille par introspection et symbolisation. Il s'agit d'une psychologie axée sur l'individu et donc sur l'intervention clinique.

La seconde conception a hérité des champs de recherche de « la science de la conscience » et de « la science du comportement ». Elle explore ces domaines de recherche grâce aux méthodologies scientifiques et s'axe principalement sur la connaissance plutôt que sur l'individu. C'est cette psychologie qui nous intéresse particulièrement ici.

Toutefois, n'oubliez pas qu'il s'agit là d'une distinction imparfaite: l'histoire de la psychologie est, en fait, un peu plus complexe que celle que vous venez de lire. En conséquence, les distinctions existant de nos jours sont elles aussi plus complexes.

En définitive...

- La psychologie scientifique c'est la science du comportement humain et animal basée sur des méthodes objectives (observation, corrélation, approche expérimentale).
- Pour connaître la psychologie scientifique, il nous faudra donc acquérir la méthode de travail scientifique.

Deuxième partie

La méthode de travail

Dans le chapitre précédent nous avons parlé de la notion d'hypothèse. Nous avons aussi parlé de facteurs qu'il fallait faire varier et d'autres facteurs qu'il fallait maintenir stables. Nous allons maintenant préciser ces notions, lesquelles sont extrêmement importantes car elles sont à la base de toutes les expériences que vous effectuerez.

L'hypothèse

Le peintre qui réalise une toile peut déjà savoir avant de commencer quels sentiments il veut exprimer auprès des personnes qui regarderont son oeuvre. Ce peintre se donne donc une direction dans son travail. De plus, la direction qu'il se donne n'est pas apparue spontanément: elle découle de certains événements, de certaines impressions, ainsi que d'un but général (choquer, calmer, modifier la pensée de celui qui contemplera la toile).

Il en va de même pour le scientifique. L'hypothèse c'est la direction de la recherche: elle est donc indispensable et il est important de bien rédiger son hypothèse avant d'exécuter l'expérience. Exactement comme la direction du peintre, l'hypothèse du scientifique n'apparaît pas spontanément. Elle a une « histoire ». Cependant, alors que l'histoire de la direction chez le peintre est une histoire personnelle et subjective, l'histoire de l'hypothèse se doit d'être objective et justifiable.

Ceci veut dire qu'une hypothèse découle d'une démarche préliminaire. À partir d'un phénomène qui nous intrigue nous cherchons dans la littérature scientifique des informations; en fonction de ces informations nous pourrons poser notre hypothèse.

Cette démarche théorique précédant l'établissement de l'hypothèse est nécessaire pour trois raisons:

- Tout d'abord il est préférable de poser une hypothèse qui a une chance d'être démontrée par l'expérience. Ainsi, plus haut, nous avons supposé que l'alcool allait provoquer une augmentation du nombre d'erreurs lors de l'exécution d'une tâche. Mais si nous n'avions pas pris la peine de nous renseigner sur la question avant d'écrire l'hypothèse, nous aurions peut-être écrit l'inverse. L'hypothèse n'est donc pas écrite au hasard ou en fonction de nos désirs mais bien à partir de notions théoriques existant déjà dans la littérature.

- Une découverte scientifique est utile en autant qu'elle peut être reliée aux connaissances déjà acquises en science. Ceci veut dire qu'il faut utiliser des mots déjà connus et se situer par rapport à un contexte existant. Si le professeur Von Truc Machin découvre que « les schilboutz bidulent en zig-zag lorsqu'il y a une perturbation goubilotique des Trucs » la science n'en est pas pour autant avancée.

- Enfin, s'il faut lire des notions théoriques pour se situer dans un contexte donné avant de rédiger une hypothèse c'est pour éviter de découvrir quelque chose qui a déjà été découvert! Ce serait gênant d'écrire un bel article scientifique pour apprendre à l'univers que nous venons d'inventer le téléphone!

Cette démarche préliminaire à l'établissement de l'hypothèse s'appelle le *contexte théorique*. C'est de là que va naître l'*hypothèse*. Mais l'hypothèse elle-même, c'est quoi?

> l'hypothèse est une prédiction portant sur certaines caractéristiques ou certains déterminants du comportement.

L'hypothèse prédit comment vont se comporter certains phénomènes lorsqu'un autre phénomène variera. Ainsi:

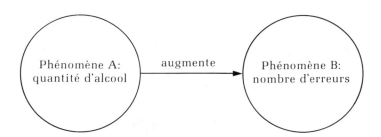

«Quand la quantité d'alcool augmente, le nombre d'erreurs augmente». Nous prédisons que lorsque le phénomène « quantité d'alcool» augmentera, le phénomène « nombre d'erreurs» augmentera également.

Il faut noter, d'ailleurs, que les deux phénomènes peuvent aussi être représentés sur un graphique:

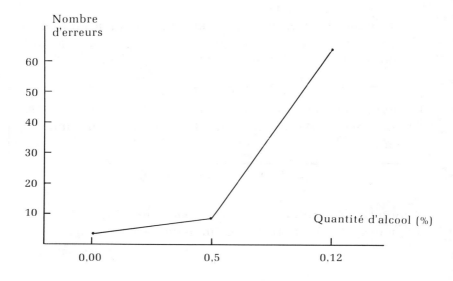

Figure 2. Relation entre l'augmentation de la quantité d'alcool dans le sang et l'augmentation du nombre d'erreurs commises dans l'accomplissement d'une tâche.

Dans cet exemple, nous voyons bien que l'hypothèse *prédit une relation* entre deux phénomènes: plus l'alcool augmente, plus les erreurs augmentent. Les termes « plus » et « augmenter » sont des termes de relation alors que les termes « alcool » et « erreurs » sont des termes de phénomènes. Comment peut-on en venir à faire une prédiction? En se basant sur le contexte théorique et en *manipulant* un des deux phénomènes.

Rappelez-vous l'exemple sur la ceinture de sécurité présenté plus haut. Nous avons prédit que « le fait de porter la ceinture (phénomène A) réduit (relation) le nombre et la gravité des blessures (phénomène B). »

Puis nous avons projeté des voitures contre un mur de béton. Après l'accident nous avons comparé l'état des mannequins qui portaient la ceinture de sécurité à l'état des mannequins qui ne la portaient pas. Il y avait donc deux phénomènes, ou facteurs. Le phénomène ceinture était *manipulé* par l'expérimentateur alors que le phénomène blessure était *mesuré* par l'expérimentateur.

Il est possible de distinguer, dans une hypothèse, (1) un facteur *manipulé*. (2) un facteur *mesuré*, et (3) des termes de *relation*.

> L'hypothèse *prédit* une *relation* entre des facteurs *manipulés* par l'expérimentateur et des facteurs *mesurés*.

Voici quelques exercices pour que vous puissiez vérifier si vous avez bien compris. Dans chacun des exercices vous devez identifier le facteur manipulé, le facteur mesuré et les termes de relation. De plus vous devez à chaque fois dresser le graphique qui correspond à l'hypothèse. Notez bien, au passage, que l'on place toujours le facteur manipulé sur l'abscisse (la ligne horizontale) et le facteur mesuré sur l'ordonnée (la ligne verticale).

L'exercice A est en fait un exemple pour que vous compreniez bien ce que vous devez faire dans les exercices suivants.

Les solutions sont à la page 85.

Première série d'exercices

A. *Hypothèse:* « les accidents à haute vitesse provoquent des dommages plus graves que les accidents à basse vitesse. »

Facteur manipulé: vitesse du véhicule au moment de l'accident.

Facteur mesuré: gravité des dommages.

Termes de relation: « provoque », « plus ».

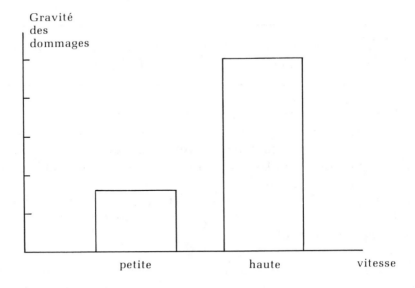

Figure 3. Gravité des dommages en fonction de la vitesse au moment de l'accident.

B. *Hypothèse:* « Plus un rat est affamé plus il appuie sur un levier pour obtenir de la nourriture. »

Facteur manipulé: _____ *nourriture* _____

Facteur mesuré: _____ # *de fois qu'il appuie* _____

Termes de relation: _____ *plus, plus.* _____

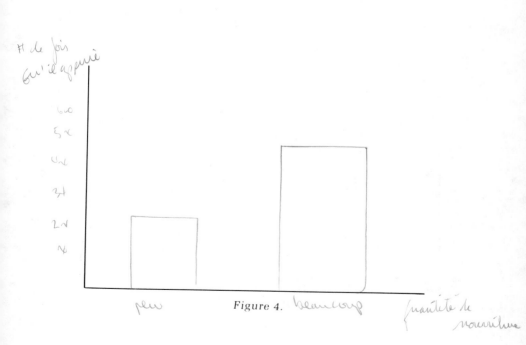

Figure 4.

C. *Hypothèse*: « Sous l'influence de l'hypnose, des sujets humains se montreront plus coopératifs qu'en temps normal ».

Facteur manipulé: _influence de l'hypnose_

Facteur mesuré: _degré de coopérativité_

Termes de relation: _plus plus_

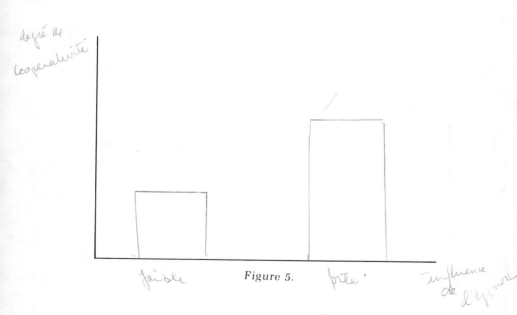

Figure 5.

degré de coopérativité

faible   *forte*   *influence de l'hypnose*

D. *Hypothèse*: « Des personnes faisant de l'exercice sont en meilleure forme physique que des personnes ne faisant pas d'exercice ».

Facteur manipulé: pratique de l'exercice physique

Facteur mesuré: Condition physique.

Termes de relation: plus plus.

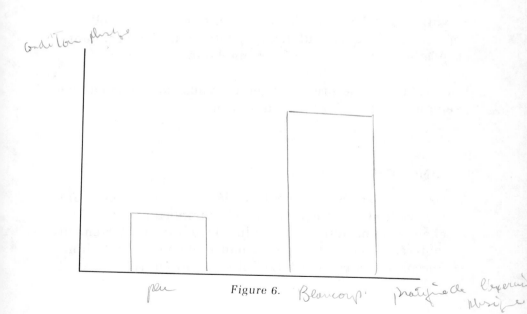

Figure 6.

Maintenant qu'il est clair (du moins nous l'espérons) que l'hypothèse prédit une relation entre des facteurs et que l'hypothèse se base sur un contexte théorique, nous pouvons passer à des exercices un peu plus complexes.

En exécutant les exercices qui vont suivre, rappelez-vous que:

- l'hypothèse *prédit*: elle est donc toujours écrite sous une forme affirmative et jamais sous une forme interrogative.
- l'hypothèse *prolonge* le contexte théorique: il faut qu'il y ait un lien logique entre les notions théoriques et l'hypothèse.
- l'hypothèse doit *correspondre* à l'expérience: les facteurs manipulés et les facteurs mesurés doivent être bien clairement indiqués et l'hypothèse ne doit être ni trop vague ni trop précise.

Si votre hypothèse *prédit, prolonge,* et *correspond* elle est *opérationnelle*. Ceci veut dire que votre hypothèse est bonne et qu'elle va vous aider à faire une bonne expérience.

Encore une fois le premier exercice vous est donné comme exemple. Les solutions sont à la page 87.

Deuxième série d'exercices

A. Des expériences ont permis de démontrer qu'un étudiant motivé (c'est-à-dire pour qui « c'est important ») face à un examen a une note d'autant plus élevée qu'il est fortement motivé. Cependant, sa performance, et donc sa note, diminue progressivement lorsqu'il est trop motivé. On veut vérifier l'effet de la motivation causée par de l'argent sur la performance à une tâche motrice (enfiler des perles sur une ficelle). On peut donc poser l'une des hypothèses suivantes:

A_1. « il y aura amélioration de la performance jusqu'à une motivation de 100 dollars.

A_2. « il y aura diminution de la performance lorsque le sujet sera trop motivé ».

A_3. « l'amélioration de la performance est directement proportionnelle à la force de la motivation ».

A_4. « l'augmentation de la motivation provoquera une augmentation de la performance. Mais, au delà d'un certain niveau de motivation il y aura baisse de la performance ».

A_5. « une motivation de 100 dollars provoque un désir tellement fort chez les sujets que ceux-ci ne pourront plus enfiler les perles ».

Cherchons maintenant la solution de ce premier exercice. Pour ce faire nous allons prendre chaque hypothèse et nous allons voir si elle prédit, prolonge et correspond.

L'hypothèse A_1 est affirmative et met en rapport le facteur manipulé (la motivation) et le facteur mesuré (la performance): elle est donc *prédictive*. Cependant cette hypothèse *ne prolonge pas* le contexte théorique: dans ce dernier on signale l'existence d'une diminution à partir d'un certain niveau de motivation.

Enfin l'hypothèse A_1 a aussi le défaut de ne *pas corres-pondre* à l'expérience. Elle est trop précise: pourquoi une motivation de 100 dollars et pas de 150 dollars? Si jamais la diminution de motivation se produisait à 99 dollars, il faudrait rejeter l'hypothèse.

Quant aux hypothèses A_2 et A_3, elles non plus ne prolongent pas le contexte théorique. Dans A_2, l'augmentation de la performance est oubliée et dans A_3 on néglige le phénomène de la diminution.

L'hypothèse A_5 est refusée car elle ne prolonge pas (pas d'augmentation et utilisation de nouveaux termes vagues comme « désir ») et ne correspond pas (100 dollars).

C'est donc l'hypothèse A_4 qui est la bonne: elle prédit, prolonge et correspond.

B. Des recherches ont démontré qu'il est possible de provoquer chez un enfant la peur de la fourrure blanche. L'enfant est mis en présence d'un rat blanc. Lorsqu'il y touche, un bruit très violent est déclenché: l'enfant sursaute et a peur. Après plusieurs présentations simultanées du rat et du son, l'enfant a peur à la seule vue du rat. De plus, il a également peur d'un lapin blanc ou d'un morceau de fourrure blanche.

On veut vérifier expérimentalement si un rat, mis en présence d'un triangle blanc et recevant simultanément des décharges électriques, développera la peur du triangle blanc. Quelle hypothèse parmi les suivantes s'applique le mieux?

1- Prédiction
2- Prolonge le contexte théorique
3- Correspond à l'expérience

L'hypothèse

B₁. « Le rat aura peur du triangle parce qu'il est blanc. »

Ne respecte pas le contexte théorique

B₂. « Le rat aura peur du triangle car il l'associera à une décharge électrique. »

B₃. « Le triangle blanc symbolisera pour le rat la méchanceté de l'expérimentateur. »

B₄. « Le rat aura peur du triangle blanc après avoir reçu 15 décharges électriques en sa présence. »

Solution: *non défini opérationnellement*

B1) ⇒ facteur manipulé ⎫ ne correspond pas à
(peur) facteur mesuré ⎬ l'expérience
                      ⎭ stimulus nég.

B2) O.k. Elle prédit et prolonge le contexte
théo. - Correspond à l'expérience

B3) correspond pas - trop précis.
Prédis

B4) trop précis.

Prédis, Prolonge le contexte théorique
mais ne correspond pas à l'expérience
car on est trop précis avec les
15 décharges

Facteurs manipulé ⊏ age / Temps (handwritten)

Facteurs mesuré - Perspective (handwritten)

C. Piaget distingue deux types d'illusions: les illusions primaires et les illusions secondaires. Une illusion primaire diminue avec l'âge: plus le sujet est âgé, moins il est victime de l'illusion. Une illusion secondaire augmente avec l'âge: plus le sujet est âgé, plus il est victime de l'illusion. Vurpillot, un autre chercheur, a démontré que l'illusion de perspective est de type secondaire. De plus, il semble que l'illusion primaire diminue avec la durée de visionnement (plus on la regarde longtemps plus elle est faible) et que l'illusion secondaire augmente avec la durée de visionnement.

On peut donc poser une des hypothèses suivantes:

C₁. « l'illusion de la perspective diminue avec l'âge et augmente avec la durée de visionnement ». _contraire_ (handwritten)

C₂. « plus on regarde une illusion quelconque, moins on est victime de cette illusion ». _pas assez précis_ (handwritten)

C₃. « l'illusion de la perspective diminue à partir de 8 ans et à partir d'une durée de visionnement de 4 secondes. _trop précis_ (handwritten)

C₄. « plus la durée de visionnement, ou l'âge, augmentent, plus l'illusion de la perspective augmente ». _même chose 2 facteurs manipulés_ (handwritten)

Primaire / Secondaire (handwritten, left margin)

Illusion primaire < durée de visionnement (handwritten)
Illusion secondaire > durée de .... (handwritten)
illusion secondaire > âge (handwritten)
Illusion primaire < âge (handwritten)

C4 —▷ Prédis, Prolonge le contexte théoriq[ue]
car on le dit ds le texte. Correspond à
l'expérience car les 2 facteurs manipulé[s]
et mesurés sont là

L'hypothèse

C$_5$. « l'illusion de la perspective diminue en fonction de
l'âge ».

Prédis, —▷ *Prolonge par le contexte théorique p.c.qu*
l'illusion secondaire augmente

Solution: *né correspond pas à l'expérience car*
il manque le facteur temp[s]

*C1 —▷ Prédis mais ne prolonge pas le
contexte théorique car l'illusion de la
perspective ↑ avec l'âge. Correspond à
l'expérience*

*C2 —▷ Predis mais ne prolonge pas le contexte
Théorique car on ne précis pas si cela est
primaire ou secondaire. Ne correspond pas à l'exp.
car il manque le facteur mesuré (perspective
et 1 facteur manipulé (âge)*

*C3 —▷ Prédis mais ne prolonge pas le contexte
théorique car il le contredit. Ne correspond pas
à l'expérience ; tRop pRécis.*

D. Une étude effectuée aux États-Unis a fait ressortir que les
femmes sont généralement plus compétitives entre elles
que les hommes mais que, mise en compétition avec un

[annotation haut de page: F 40+ — compétitives < Femmes Hommes]

[annotation: F 40 — ± compétitives → Femmes / compétitives → Hommes]

[annotation marge gauche: Fact. manipulé → âge / Fact. mesuré → degré de compétition]

homme, elles devenaient moins compétitives que celui-ci. Une étude complémentaire montrait que ce type de fonctionnement était exact pour les femmes de moins de 40 ans. Cependant les femmes de 40 ans et plus se montrent toujours moins compétitives que les hommes, que ce soit dans une situation de compétition entre femmes ou dans une situation de compétition avec des hommes.

On veut comparer un groupe d'étudiantes à un groupe de femmes agées: les deux groupes seront mis en situation de compétition avec des hommes de leur âge.

D₁. « les étudiantes seront compétitives alors que les femmes plus âgées ne le seront pas ». *[annotation: prolonge pas]*

D₂. « les étudiantes, comme les femmes âgées, seront moins compétitives que les hommes ». *[annotation: prolonge poste c.t.]*

D₃. « les femmes âgées seront plus compétitives que les étudiantes ». *[annotation: manque ? FF ? HF]*

D₄. « les hommes seront aussi compétitifs que les étudiantes et que les femmes âgées ». *[annotation: p.p. c.t.]*

Solution:

[annotation manuscrite:]
D1 → Prédis; ne prolonge pas le contexte théorique car on ne spécifie pas que ce les fmes seulement

Correspond à l'expérience car on retrouve les 2 facteurs

D2 → La bonne hypothèse

D3 –▷ Prédis ; prolonge le contexte théo.

car c'est le contraire

_____

D4 –▷ Prédis

ne correspond pas à l'expérience, car

ce sont les femmes qui on

correspond

Donc, rappelons-nous...

- l'hypothèse *prédit* une *relation* entre des facteurs *manipulés* et des facteurs *mesurés*.
- l'hypothèse *prolonge* le contexte théorique.
- l'hypothèse *correspond* à l'expérience.
- l'hypothèse est l'élément de base de toute recherche: il est donc très important qu'elle soit claire, précise et courte.
- l'hypothèse est toujours rédigée avant d'exécuter l'expérience puisque cette dernière est faite dans le but de vérifier l'hypothèse.
- l'important ce n'est pas de prouver que notre hypothèse est bonne mais d'acquérir une nouvelle connaissance. Une hypothèse infirmée par l'expérience peut nous apprendre autant qu'une hypothèse confirmée.

Les variables

Nous savons que l'hypothèse met en relation des facteurs manipulés et des facteurs mesurés. Nous savons aussi que les facteurs manipulés sont des facteurs que l'expérimentateur fait *varier*. Par exemple, dans la deuxième série d'exercices nous avons fait varier: dans l'hypothèse A_4 le niveau de motivation, dans B_2 l'événement vécu par Sophie, dans C_4 l'âge et la durée de visionnement et dans D_2 l'âge et le sexe.

Ces facteurs manipulés qui varient s'appellent des *variables* (c'est logique). De plus ces facteurs manipulés sont liés à l'expérimentateur car c'est lui qui les fait varier. Le sujet, humain ou animal, qui passe l'expérience n'a donc pas d'influence sur les facteurs (ou variables) manipulés par l'expérimentateur. Par rapport au sujet, ces variables manipulées sont indépendantes: c'est pourquoi elles s'appellent *variables indépendantes*!

Une variable indépendante est un facteur manipulé par l'expérimentateur qui le fait varier.

Le but d'une expérience, nous l'avons dit, est de vérifier l'hypothèse, c'est-à-dire de voir quel est l'effet du facteur manipulé (la variable indépendante) sur les sujets. Ainsi, quand la variable indépendante « quantité d'alcool dans le sang» augmente, quel effet cela produit-il sur le comportement des sujets? La « quantité d'alcool» est une variable indépendante. Cette variable est manipulée par l'expérimentateur: c'est une *variable indépendante manipulée.*

Cependant on peut aussi désirer étudier l'effet d'une variable indépendante que l'on ne peut pas manipuler mais que l'on peut choisir. Ainsi toutes les variables qui sont des caractéristiques du sujet ne peuvent pas être manipulées. Pourtant on peut quand même vouloir étudier leurs effets.

Il est impossible de manipuler des variables comme le sexe (c'est possible mais c'est gênant; le sujet risque de ne pas être d'accord pour commencer l'expérience en femme et la finir en homme), l'âge, l'origine ethnique, la religion, la taille ou le niveau d'éducation. Mais il est possible de choisir un groupe de sujet ayant telle caractéristique et un groupe ayant telle autre caractéristique: c'est l'expérimentateur qui choisit de diviser ses groupes comme il le veut. Il s'agit donc encore d'une variable indépendante du sujet mais qui n'est pas manipulée: on l'appelle *variable indépendante assignée.*

Les facteurs manipulés par l'expérimentateur s'appellent des variables indépendantes. Il existe deux sortes de variables indépendantes.

Une variable indépendante manipulée est une variable que l'expérimentateur fait varier en intervenant directement.

Une variable indépendante assignée est une variable que l'expérimentateur fait varier en choisissant de diviser ses groupes de sujets selon telle ou telle caractéristique des sujets.

En plus des variables indépendantes il y a les facteurs mesurés par l'expérimentateur c'est-à-dire la mesure du comportement des sujets. Dans l'expérience sur la quantité d'alcool et le nombre d'erreurs c'est l'expérimentateur qui fait varier la quantité d'alcool: voilà donc notre variable indépendante. Mais qui commet les erreurs? le sujet. Le nombre d'erreurs varie en fonction du sujet; le nombre d'erreurs dépend du sujet. *C'est la variable dépendante.*

Dans toute hypothèse il est donc possible de distinguer une ou plusieurs variables indépendantes (« facteurs manipulés ») et une ou plusieurs variables dépendantes (« facteurs mesurés »). Ces variables, que nous appelions « facteurs » au début de ce chapitre, peuvent être représentées graphiquement.

L'utilisation du graphique permet d'ailleurs de bien rédiger une hypothèse car il permet de bien identifier les variables. Or une hypothèse prédit une *relation* entre des variables. Vous aurez l'occasion, plus loin, d'utiliser les graphiques: en effet vous devrez rédiger quelques hypothèses.

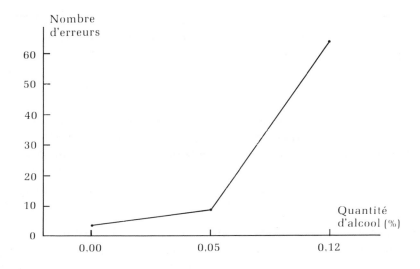

Figure 7. Relation entre l'augmentation de la quantité d'alcool dans le sang (variable indépendante) et l'augmentation du nombre d'erreurs commises pendant l'exécution d'une tâche (variable dépendante).

Mais, en attendant ce grand moment où naîtra chez vous la flamme sacrée de la recherche scientifique, nous allons faire une troisième série d'exercices. Ainsi, nous ne perdrons pas nos connaissances toutes fraîches.

Troisième série d'exercices

Reprenez les deux premières séries d'exercices et, dans chacun des problèmes posés, identifiez la ou les variables indépendantes et la ou les variables dépendantes. Précisez si la ou les variables indépendantes sont manipulées ou assignées. Les solutions sont à la page 88.

1ère série:

A. *dépendante:* Gravité des dommages

indépendante manipulée : vitesse du véhicule

B. *dépendante:* # de x qu'il appuie

indépendante manipulée : quantité de nourriture

C. *dépendante:* degré de coopérativité

indépendante manipulé : État d'hypnose

D. *dépendante:* Forme physique

indépendante manipulé : condition physique

2ième série:

A$_4$ dépendante _____

de perle enfilée

indépendante manipulé : motivation
avec l'$

B$_2$ dépendante peur du rat blanc
peur de l'animal

indépendante manipulé : # de décharges
électrique

C$_4$ dépendante l'illusion de la perspective

indépendante assignée : Durée du
visionnement ou age

D$_2$ dépendante degré de compétition

indépendante assignée : âge des personnes

Maintenant que nous avons appris à identifier les variables indépendantes, manipulées ou assignées, les variables dépendantes et les termes de relation, nous sommes prêts à rédiger des hypothèses.

Rappelez-vous que votre hypothèse doit prolonger, prédire et correspondre. Rappelez-vous aussi que les variables doivent y être clairement présentées et que la ou les relations doivent être aisément compréhensibles pour le lecteur. Enfin, n'oubliez surtout pas qu'un graphique vous permet de mieux comprendre la théorie et donc de poser une hypothèse opérationnelle qui est la base d'une expérimentation.

En conséquence, dans les exercices qui suivent, assurez-vous d'utiliser les mêmes mots lorsque vous identifiez les variables que lorsque vous rédigez l'hypothèse. Seuls les termes de relation doivent être nouveaux. Assurez-vous aussi que vos hypothèses sont claires en les faisant lire par d'autres personnes: n'ayez pas peur de la critique!

Quatrième série d'exercices

Dans chacun des exercices, vous devez à partir des notions théoriques exposées, identifier les variables puis rédiger une hypothèse. Parfois vous devrez rédiger deux hypothèses dans un exercice, afin d'éviter une hypothèse trop complexe et confuse. N'oubliez pas que vous pouvez vous faciliter la tâche en traçant un graphique (solutions p. 89).

A. Plusieurs recherches tendent à démontrer que le milieu physique a des effets directs sur la physiologie humaine. Ainsi des lumières ou des sons intenses et imprévisibles provoquent des accélérations cardiaques, une hausse du tonus musculaire et une arythmie respiratoire. De plus, une étude récente démontre que des sujets humains, travaillant dans une pièce rouge, sont physiologiquement plus excités que des sujets travaillant dans une pièce bleue.

D'autre part plusieurs théoriciens ont démontré que lorsqu'il y a excitation physiologique il y a également excitation psychologique, particulièrement en ce qui concerne l'anxiété. Vous voulez comparer, à l'aide d'un test d'anxiété, l'état psychologique de gens qui voyagent dans les rames de métro bleues à l'état de gens voyageant dans les rames de métro dont l'intérieur est rouge. Quelles sont les variables et l'hypothèse de votre expérience?

Solution:

Variable indépendante _assignée_ : _couleur de la lumière_

Variable dépendante: _taux d'anxiété_
résultat

Hypothèse: _Les gens qui voyagent ds des rames de métro rouge, auront un plus ↑ taux d'anxiété que ceux qui voyagent dans les rames de métro bleues_

B. Les aveugles de naissance semblent développer certains sens comme le toucher, l'audition et le sens de l'équilibre en compensation de leur cécité. Plusieurs expériences ont permis de constater que les non voyants se dirigeaient essentiellement à l'aide des sons: l'écho de leurs pas, le son de la canne sur le sol, leur voix leur permettant d'évaluer la dimension d'une pièce et de prévoir les obstacles.

Toutefois il apparaît que les aveugles de naissance n'ont pas le réflexe d'orientation qui existe chez les voyants. Lorsque ces derniers entendent un son, ils déplacent leurs yeux afin de situer l'origine du son dans leur champ visuel. Les aveugles, n'ayant pas de champ visuel, n'ont pas ce comportement. Il apparaît alors que les voyants pourraient situer l'origine des sons situés dans leur champ visuel avec autant d'exactitude que les non voyants.

Vous voulez vérifier ce principe avec 10 sujets voyants et 10 sujets non voyants. Tous les sujets, yeux bandés, se font présenter 5 sons dans leur champ visuel théorique et 5 sons à l'opposé de leur champ visuel. Le sujet doit évaluer l'origine du son et vous notez la marge d'erreur par rapport à l'origine réelle du son. Quelles sont les variables et les hypothèses de votre expérience?

Solution

Variables indépendantes assignées : voyants et non voyants ; manipulée : le son ds le champs visuel ou non.

Variable dépendante: marge d'erreur par rapport à l'origine réelle du son

Hypothèse I: _Si le son, autant chez les_
voyants et non voyants, est dans
leur champs visuel les marges
d'erreurs devraient être semblables

Hypothèse II: _Le sujet voyant aura une_
plus grande marge d'erreur que
le non voyant, si le son lui est
envoyé à l'opposé de son champs
visuel.

C. La psychophysiologie a plusieurs fois permis de vérifier la notion « d'entraînement ». Par « entraînement » on veut dire que le rythme cardiaque a tendance, après quelques minutes, à suivre le rythme d'une trame sonore. Ainsi, un son présenté à toutes les secondes « entraînera » un rythme cardiaque plus rapide que le même son présenté aux trois secondes.

D'autre part, quelques chercheurs ont remarqué que lorsqu'il y a augmentation du rythme cardiaque il y a augmentation du tonus musculaire et accélération de la fréquence de respiration.

Vous voulez comparer l'effet d'une pièce musicale de Vivaldi (« le printemps ») à celui d'une pièce de musique rock (« Summer Time » de Janis Joplin). Posez les variables et l'hypothèse de cette étude.

Solution:

Variable indépendante *manipulée: rythme de la musique)*

Variables dépendantes: *tonus musculaire, fréquence respiratoire et le rythme cardiaque*

Hypothèse: *Le S en écoutant une pièce de musique Rock (summer Time) aura le rythme cardiaque la fréquence respiratoire et le tonus musculaire plus ↑ que ceux qui écoute une pièce de musique + douce. (le printemps).*

D. Les théoriciens de l'apprentissage pensent que le fait de donner une récompense à un sujet après qu'il ait accompli l'acte demandé provoquera une augmentation de la fréquence de cet acte par la suite. À l'inverse, le fait de donner une punition devrait diminuer la fréquence de l'acte.

Vous décidez de vérifier ces principes à l'aide d'un rat blanc âgé de 6 mois. Le rat est installé dans une cage où se trouve un levier. Chaque fois que le rat appuie sur le levier il reçoit un morceau de nourriture. Puis, dans un second temps de l'expérience, les conditions seront modifiées: lorsque le rat appuie sur le levier, il reçoit un choc électrique. Identifiez les variables et la ou les hypothèses de cette recherche.

Solution:

Variable indépendante *manipulée* : Conséquence de l'acte

Variable dépendante _____: # de pressions sur le levier

Hypothèse: Le # de pressions sur le levier sera + élevé si il y a une récompense (nourriture) que si il y a punition (choc électrique)

Donc, rappelons-nous...

- Les variables sont des facteurs qui varient.
- Il existe des variables indépendantes et des variables dépendantes.
- Les variables indépendantes sont reliées à l'expérimentation; ce sont ces variables qui créent la situation expérimentale.
- Les variables dépendantes sont reliées au sujet. Ce sont les données que l'expérimentateur mesure afin de comprendre l'effet des variables indépendantes.
- L'hypothèse est une affirmation prédictive qui met en relation les variables indépendantes et dépendantes.
- Il existe deux sortes de variables indépendantes: les variables indépendantes assignées et les variables indépendantes manipulées.
- Les variables indépendantes assignées sont des caractéristiques propres aux sujets: l'expérimentateur se contente de choisir tel type d'individu pour le comparer à tel autre type.
- Les variables indépendantes manipulées sont des facteurs que l'expérimentateur peut directement influencer afin de créer la situation expérimentale.

Le schème expérimental

Le schème expérimental c'est la méthode que nous utilisons pour réaliser l'expérience. Chaque expérience suppose un schème expérimental nouveau: il s'agit donc d'une oeuvre de création. Il en va ainsi pour un chirurgien. Lorsqu'il faut opérer un patient il y a des méthodes opératoires en fonction de chaque type de cas. Toutefois, dès qu'il s'agit d'un cas inhabituel, ou dès qu'il y a risque de complications, le chirurgien doit développer une nouvelle stratégie.

En recherche, une nouvelle hypothèse est toujours un cas inhabituel. Il faut donc développer une nouvelle stratégie. Si la stratégie est mauvaise, le patient du chirurgien meurt et l'expérience du scientifique échoue: les deux situations sont indésirables. Comment faire pour élaborer une bonne stratégie c'est-à-dire un bon schème expérimental? Il existe des règles de base. Nous allons les examiner.

Tout d'abord à quoi sert le schème expérimental? Il a déjà été dit que la méthode expérimentale a pour but de vérifier une hypothèse en intervenant dans la réalité. Pour ce faire il faut donc (1) faire varier les variables indépendantes, (2) contrôler tous les autres facteurs, et (3) mesurer les variables dépendantes. Le schème expérimental c'est la stratégie que vous employez pour atteindre ces trois objectifs.

Ainsi vous devez faire varier les variables indépendantes. Vous pouvez alors soit utiliser plusieurs groupes de sujets soit un seul groupe qui sera soumis à plusieurs traitements. Tout dépend de votre hypothèse.

Par exemple, l'expérience sur la ceinture de sécurité nécessite deux groupes ayant chacun un traitement différent: 50 automobiles dont le conducteur porte la ceinture et 50 dont le conducteur ne porte pas la ceinture. Par contre, dans l'expérience sur les effets de l'alcool sur le nombre d'erreurs durant une tâche de précision, il est inutile d'avoir plusieurs groupes. Un seul groupe sera soumis successivement à divers traitements, c'est-à-dire à des doses croissantes d'alcool.

Enfin, une expérience portant sur la perception de la sexualité nécessiterait plusieurs groupes mais un seul traitement. Des catholiques, des protestants, des juifs et des mahométans passeraient tous le même questionnaire.

Ceci nous amène à la notion de « groupe contrôle ». Le groupe contrôle est un groupe qui ne subit aucun traitement (il n'est pas soumis aux variables indépendantes) et qui est comparé, à la fin de l'expérience, aux groupes ayant subi des traitements. Par exemple, pour démontrer la nocivité de la cigarette vous pouvez prendre trois groupes de rats. Le premier groupe, ou groupe expérimental 1, vit pendant trois semaines dans une cage où il y a une concentration très forte de fumée de tabac. Le second groupe, ou groupe expérimental 2, vit pendant trois semaines dans une cage où il y a une concentration moyenne de fumée. Quant au troisième groupe, ou groupe contrôle, il vit pendant trois semaines dans une cage sans fumée. Au bout de 21 jours tous les rats sont sacrifiés. On évalue alors les variables dépendantes en examinant les systèmes pulmonaire et cardiaque.

Dans le cas de sujets humains il faut parfois raffiner encore la méthodologie. En effet, les humains ont la caractéristique embêtante de fonctionner à partir de concepts, c'est-à-dire de notions abstraites: il suffit alors que quelqu'un croit qu'il va ressentir tel effet pour qu'il le ressente. C'est ce qu'on appelle « l'effet placebo ». J'avais une vieille tante à qui nous donnions des pilules de farine qu'elle croyait être des somnifères: elle s'endormait immédiatement après en avoir pris deux. Son insomnie était solutionnée par un placebo.

Il faut donc parfois, en expérimentant avec des sujets humains, avoir des groupes contrôles. Le premier est un groupe contrôle simple et le second un groupe placebo. Par exemple si vous voulez vérifier l'effet d'un nouveau médicament il vous faut un groupe expérimental, un groupe placebo et un groupe contrôle. Si seul le groupe expérimental voit son état s'améliorer vous concluez à un effet du médicament. Si, par contre, il n'y a pas de différence entre le groupe expérimental et le groupe placebo cela démontre que cette drogue n'a pas l'effet attendu.

Avant d'examiner le schème expérimental en fonction de ses deux autres objectifs (contrôles des facteurs indésirables et mesure des variables dépendantes) nous allons effectuer une série d'exercices. Rien ne vaut un bon exemple!

Cinquième série d'exercices:

Reprenez les exercices de la quatrième série. À chaque fois vous devez (1) dire combien il faut de groupes pour vérifier l'hypothèse, (2) à quels traitements sont soumis les groupes, (3) s'il est utile d'ajouter un groupe contrôle ou un groupe placebo.

Les solutions sont à la page 90.

Solutions

Exercice A: _____

_____

_____

_____

_____

_____

_____

_____

Exercice B: _____

_____

_____

_____

_____

_____

_____

_____

_____

*Exercice C:*_____

_____

_____

_____

_____

_____

_____

_____

_____

_____

Exercice D: _____

_____

_____

_____

_____

_____

_____

_____

Pour ce qui est des deux autres objectifs du schème expérimental (élimination des facteurs indésirables et mesure des
variables dépendantes) vous n'avez pas d'exercice à effectuer. En effet ces deux autres objectifs sont parfois ratés
même par des chercheurs « professionnels »: il s'agit plus
d'une question d'habitude que d'une capacité théorique. C'est
en réalisant des expériences que vous en viendrez à développer des schèmes expérimentaux qui atteindront bien les trois
objectifs. Ainsi, avant de vous lancer dans une expérience
originale, vous avez tout intérêt à commencer par des
recherches dont le schème expérimental est fourni: votre
professeur est là pour ça. Plus tard vous vous lancerez à la

conquête du prix Nobel. De deux choses l'une; votre schème sera bon et vous aurez le prix Nobel, ou votre schème sera mauvais... ou pas assez bon!

Toutefois il y a quelques petits principes de base qu'il faut respecter pour atteindre le deuxième objectif, c'est-à-dire l'élimination des facteurs indésirables. Il s'agit, tout simplement, d'identifier les différents événements ou objets qui pourraient gâcher l'expérimentation s'ils survenaient. Après les avoir identifiés il s'agira de les contrôler (c'est pourquoi l'on parle de « contrôles expérimentaux »; les contrôles expérimentaux sont des facteurs indésirables que le chercheur a identifiés puis ligotés avec soin au poteau de torture). Pour vous faciliter la tâche d'identification de ces facteurs nuisibles rappelez-vous qu'il en existe trois sortes: les facteurs d'environnement, de tâche et de sujet. Les facteurs d'environnement englobent tous les aspects physiques et sociaux dans lesquels vous réalisez votre expérience. Ainsi il faut que les instructions données aux sujets restent les mêmes d'un sujet à l'autre, ou bien, encore, que l'expérimentateur soit toujours le même. Si, durant une tâche d'attention, la moitié des sujets (tous des hommes de 18 à 30 ans) sont en présence d'un expérimentateur masculin et l'autre moitié en présence d'un expérimentateur féminin, vos résultats risquent d'être influencés par un tel facteur: il faut donc le contrôler.

Les facteurs de tâche portent, comme leur nom l'indique, sur la tâche que les sujets ont à effectuer. Tous les aspects de la tâche doivent être identiques pour tous les sujets. Par exemple, si vous voulez vérifier l'effet de la motivation sur une tâche de mémorisation, il faut que la tâche reste la même. Si certains sujets doivent apprendre des formules chimiques et d'autres la liste des voyelles, il est gênant d'affirmer qu'il s'agit de la même tâche!

Enfin, les facteurs sujets portent sur les sujets: ceux-ci doivent être comparables par rapport à ce qu'ils ont à faire. En comparant l'effet de la motivation à l'effet de la non motivation sur une tâche de réflexes il faut que tous les sujets aient les mêmes capacités physiques. Vous devez donc prendre tous des gens qui ont environ le même âge et une même condition physique.

Quant au troisième objectif, la mesure des variables dépendantes, il faut simplement prévoir une méthode d'évaluation qui ne nuira pas à l'expérimentation. Les compteurs utilisés doivent être silencieux, ne pas être vus par le sujet, etc... Mais tout dépend, en fait, de *votre* expérience.

Donc, rappelons-nous...

- Le schème expérimental a trois objectifs: (1) faire varier les variables indépendantes, (2) contrôler les facteurs indésirables, (3) mesurer les variables dépendantes.
- C'est à force de réaliser des expériences que l'on en vient à concevoir un bon schème expérimental.
- Un groupe contrôle est un groupe qui n'est pas soumis à la variable indépendante.
- Un groupe placebo est un groupe qui croit être soumis à la variable indépendante mais qui ne l'est pas en réalité.
- Il existe trois sortes de facteurs indésirables qui doivent être contrôlés: les facteurs d'environnement, de tâche et de sujet.
- L'évaluation des variables dépendantes ne doit pas nuire au processus de l'expérimentation.
- C'est en forgeant qu'on devient forgeron.

Corrigé des exercices

Première série

B. Facteur manipulé: degré de privation de nourriture
Facteur mesuré: nombre de pressions sur le levier
Termes de relation: « plus »

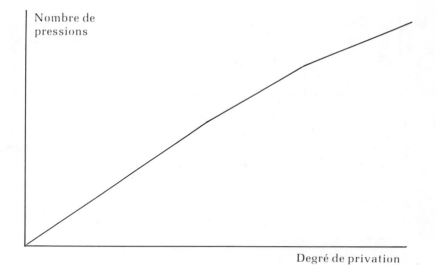

Figure 4 complétée. Augmentation du nombre de pressions en fonction du degré de privation.

C. Facteur manipulé: hypnose et non hypnose
Facteur mesuré: nombre de comportements de coopéra-
tion
Termes de relation: « plus »

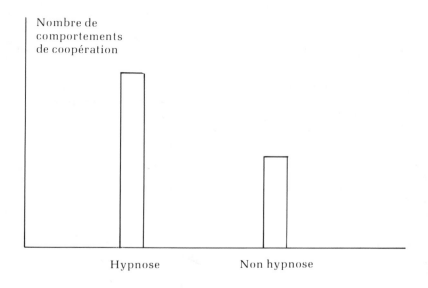

Figure 5 complétée. Relation entre l'hypnose et la coopération.

D. Facteur manipulé: exercice et non exercice
Facteur mesuré: forme physique
Termes de relation: « meilleure »

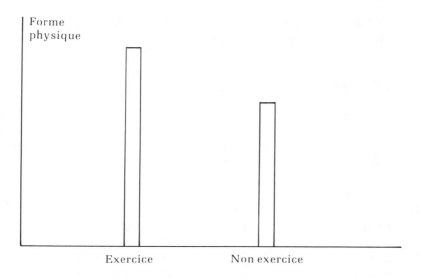

Figure 6 complétée. Relation entre l'exercice et la forme physique.

Deuxième série:

B. La bonne hypothèse est l'hypothèse B_2. Les hypothèses B_1 et B_4 ne correspondent pas alors que l'hypothèse B_3 ne prolonge pas.

C. L'hypothèse C_4 est la bonne. C_1, C_2, C_3 et C_5 ne prolongent pas. De plus C_3 ne correspond pas (trop précise).

D. C'est l'hypothèse D_2 qui doit être retenue. En effet, d'après la théorie, les femmes sont moins compétitives que les hommes et ce, qu'elles aient plus ou moins de 40 ans.

Comme la compétition se fait avec des hommes c'est D_2 qui s'applique et non pas D_4.

Troisième série

1ère série:

A. dépendante: gravité des dommages
indépendante: vitesse au moment de l'accident (manipulée)

B. dépendante: nombre de pressions
indépendante: degré de privation (manipulée)

C. dépendante: nombre de comportements de coopération
indépendante: hypnose et non hypnose (manipulée)

D. dépendante: forme physique
indépendante: exercice et non exercice (assignée)

2ième série:

A. dépendante: nombre de perles enfilées
indépendante: quantité d'argent (manipulée)

B. dépendante: peur des chiens
indépendante: événement désagréable (assignée)

C. dépendante: force de l'illusion
indépendantes: durée de visionnement (manipulée)
âge (assignée)

D. dépendante: degré de compétition
indépendante: plus ou moins de 40 ans (assignée)

Quatrième série

A. Variable indépendante assignée: couleur (rouge ou bleu) du wagon de métro.

Variable dépendante: résultats au test d'anxiété.

Hypothèse: « Les gens voyageant dans une rame de métro rouge auront des résultats plus élevés au test d'anxiété que les gens voyageant dans une rame de métro bleue. »

B. Variable indépendante manipulée: origine du son (dans le champ visuel ou à l'opposé du champ visuel); assignée: voyants et non voyants.

Variable dépendante: marge d'erreur entre l'origine évaluée et l'origine réelle du son.

Puisque nous avons deux variables indépendantes, il vaut mieux rédiger deux hypothèses car une seule risquerait d'être trop complexe et difficilement vérifiable:

Hypothèse I: « Les sujets non voyants et les sujets voyants auront des marges d'erreurs semblables lorsque le son est présenté dans leur champ visuel. »

Hypothèse II: « Les sujets voyants auront une marge d'erreurs plus grande que celle des sujets non voyants lorsque le son est présenté à l'opposé de leur champ visuel ».

C. Variable indépendante manipulée: rythme de la musique (« le Printemps » ou « Summer Time »).

Variables dépendantes: rythme cardiaque, tonus musculaire et fréquence de la respiration.

Hypothèse: « Les sujets, en présence de la musique de « Summer Time », auront un rythme cardiaque, un tonus musculaire et une fréquence de respiration plus élevés qu'en présence de la musique du « Printemps ».

D. Variable indépendante manipulée: nature de la conséquence (nourriture ou choc électrique).

Variable dépendante: nombre de pressions sur le levier.

(Si vous êtes tombé(e) dans le piège de préciser « manipulée » ou « assignée », relisez donc le texte sur la variable dépendante!)

Hypothèse: « Le nombre de pressions sur le levier sera plus élevé lorsque la conséquence est de la nourriture que lorsque la conséquence est un choc électrique. »

Cinquième série

A. Il faut utiliser deux groupes de sujets. Un des groupes est constitué de sujets voyageant dans les rames rouges alors que les sujets de l'autre groupe voyagent dans les rames bleues. Il est inutile d'ajouter des groupes contrôles.

B. Encore ici, il ne faut que deux groupes de sujets: des voyants et des non voyants de naissance. Les deux groupes subissent le même traitement qui consiste à entendre 10 sons dont 5 présentés dans leur champ visuel et 5 présentés à l'opposé de leur champ visuel.

C. Il est possible d'utiliser un seul groupe de sujets lesquels se font d'abord présenter la musique de « Summer Time » et, plus tard, celle du « Printemps ». Il faudrait bien laisser aux sujets le temps de se détendre entre les deux pièces de musique afin que leur rythme cardiaque, leur tonus musculaire et leur fréquence de respiration aient le temps de revenir à la normale. Il n'est pas utile d'avoir des groupes contrôles, les sujets du groupe pouvant être comparés à eux-mêmes si on enregistre leurs variables physiologiques avant de commencer l'expérience.

D. Un seul rat, recevant de la nourriture lorsqu'il appuie sur un levier, sera utilisé. Dans un second temps, le même rat recevra un choc électrique lorsqu'il appuiera sur le levier.

Troisième partie

Le traitement statistique des données expérimentales

Une fois vos variables et votre hypothèse posées, vous passez à l'application pratique de votre schème c'est-à-dire à l'expérimentation proprement dite. À la suite de l'expérience vous obtenez toute une série de chiffres, ou données brutes, qui correspondent à votre ou vos variables dépendantes. Pour donner du sens à ces chiffres, pour en extraire l'information qu'ils recèlent, il faut les analyser à l'aide de méthodes statistiques.

Le simple fait de parler de statistiques soulève souvent deux réactions: la crainte et l'incrédulité. La crainte, car on pense souvent aux statistiques comme à quelque chose de totalement abstrait, sans aucun rapport avec la réalité concrète. L'incrédulité car, comme beaucoup le prétendent, « les chiffres, on leur fait dire ce qu'on veut! » C'est ainsi que quelqu'un peut vous affirmer que, sous le gouvernement actuel, il y a plus d'emplois qu'avant. Une autre personne vous dit, au contraire, que le taux de chômage a augmenté. Il est alors tentant de penser que les chiffres mentent. Mais, en réalité, ce sont vos interlocuteurs qui disent chacun la moitié de la vérité! Si 10 personnes arrivent sur le marché du travail et que l'on a créé 4 nouveaux emplois, il y a quand même 6 nouveaux chômeurs. Le nombre d'emploi, comme le nombre de chômeurs, a augmenté. Ce ne sont pas les statistiques qui ont déformé la réalité. Au contraire, en sachant utiliser les statistiques, vous ne vous laisserez plus prendre dans des pièges comme celui-là.

En fait, dans le contexte de l'expérimentation, l'utilisation de méthodes statistiques comporte deux grands avantages: clarifier vos variables dépendantes et évaluer l'effet réel de vos variables indépendantes.

Reprenons l'exemple portant sur la ceinture de sécurité. Nous avons envoyé un certain nombre de Rolls-Royce contre un mur de béton. Dans la moitié des cas, le passager (en l'occurence un mannequin plutôt qu'un humain bien vivant) porte sa ceinture de sécurité alors que pour l'autre moitié le passager n'est pas attaché. Nous avions alors les variables et l'hypothèse suivante: variable indépendante manipulée: ceinture de sécurité attachée ou non; variables dépendantes: nombre et gravité des blessures; hypothèse: « le fait de porter la ceinture de sécurité permet de réduire le nombre et la gravité des blessures subies en cas d'accident ».

Supposons que nous ayons obtenu pour le groupe 1 (10 mannequins portant la ceinture), les résultats 5, 9, 0, 1, 2, 2, 1, 0, 7, 3 pour ce qui est du nombre de blessures. Nous avons donc 10 valeurs pour décrire la variable dépendante « nombre de blessures ». Si l'on considère le groupe 2 (10 mannequins ne portant pas la ceinture), nous avons 10 autres valeurs de la même variable dépendante: 8, 9, 9, 7, 8, 12, 4, 9, 7, 7. Nous nous retrouvons donc avec 20 valeurs. Comme il y a aussi une seconde variable dépendante, soit la gravité des blessures, nous obtenons en plus 20 autres valeurs (10 par groupe). Ne serait-il pas possible de présenter ces 40 valeurs de 2 variables dépendantes de façon à la fois plus simple et plus rapide? Bien sûr, il suffit de calculer les moyennes, ce qui est un procédé statistique. Ainsi, plutôt que d'énumérer chaque valeur, il est possible de dire que, pour la variable nombre de blessures, le groupe 1 a une moyenne de 3 et le groupe 2 une moyenne de 8. Il apparaît donc qu'en utilisant une méthode statistique comme le calcul de la moyenne, on peut clarifier les variables dépendantes.

Mais les statistiques ont aussi l'avantage d'évaluer l'effet des variables indépendantes. Dans notre exemple, la variable indépendante est le port de la ceinture de sécurité. Le groupe 1, avec ceinture, a, en moyenne, 3 blessures alors que le groupe 2, sans ceinture, en a 8. Il semble donc que le fait de porter la ceinture réduit le nombre de blessures. Cependant, cela est-il certain? Est-ce une vérité? En réalité, quelques sujets du groupe 1 ont eu beaucoup plus de 3 blessures (5, 7 et 9) et quelques sujets du groupe 2 ont eu moins de 8 blessures (4 et 7). Peut-être que la différence qui semble exister entre les moyennes des deux groupes est seulement due à des cas particuliers. Autrement dit, il n'est pas possible d'être sûr que la différence est bien due à la variable indépendante et non au hasard. Les statistiques vont justement permettre de calculer la probabilité que le comportement de la variable dépendante soit dû à la variable indépendante. Plus cette probabilité est élevée, plus le risque que le hasard ait joué est petit. Si, lors de l'expérience sur la ceinture de sécurité, nous calculons la probabilité que les moyennes 3 et 8 des deux groupes soient dues à l'usage ou à l'absence de la ceinture de sécurité, nous obtiendrons sans doute une probabilité très élevée. Il y a de très grandes chances que les résultats soient valables et un petit risque qu'ils soient dus au hasard. En science, il faut toujours chercher à diminuer la part du hasard. Si la probabilité que vos résultats soient dus au hasard est seulement de 1%, vous vous approchez de la vérité.

Il faut bien comprendre, en effet, que la vérité n'existe pas en science. Aucune connaissance scientifique n'est définitive c'est-à-dire vraie, sacrée, intouchable. Cependant, toute connaissance scientifique est plus ou moins *probablement* exacte: nous ne pourrons jamais, scientifiquement, affirmer qu'une chose est vraie, mais nous pourrons affirmer qu'elle est très *probable*. Nous ne recherchons pas la vérité; nous calculons des probabilités. C'est pourquoi, dans toute expérience, il faut calculer la probabilité que nos résultats dépendent du hasard. Si cette probabilité est faible c'est que l'efficacité de la variable indépendante est grande.

De façon très concrète, nous allons apprendre à calculer ce genre de probabilité. À la fin de vos calculs vous saurez, par exemple, que la part du hasard est de 0,01, de 0,05 ou de 0,10. Si la part du hasard est de 0,01, donc de 1%, c'est que votre variable indépendante est presque certainement responsable des résultats obtenus: il y a 99% des chances que la ceinture de sécurité diminue le nombre de blessures. Devant de tels résultats, vous pouvez être fier et vous récompenser avec une bouteille de champagne. Maintenant, si la part du hasard est de 0,05, donc de 5%, la probabilité que votre variable indépendante ait causé vos résultats n'est plus que de 95%. Vous pouvez encore être content et vous offrir une bière. Mais, si la part du hasard est de 0,10, ou de plus de 0,10, c'est qu'il n'y a que 90% des chances, ou moins, que votre variable indépendante ait eu un effet significatif. Dans ce cas, la part du hasard est très grande: vous pouvez aller vous servir un verre d'eau.

Évidemment, vous vous dites peut-être que 90% des chances c'est quand même beaucoup. Oui, dans un jeu de hasard. Avec 90% des chances de gagner, tout le monde jouerait à la loterie! Mais, en science, 90% de probabilité ce n'est pas très élevé. En mettant une voiture en route, vous voulez plus de 90% des chances qu'elle démarre! Achèteriez-vous un crayon dont le vendeur vous dirait qu'il a 9 chances sur 10 d'écrire?

Ce que nous allons faire, dans les pages qui viennent, c'est d'apprendre à clarifier nos résultats (donc notre ou nos variables dépendantes) en utilisant des méthodes statistiques simples comme la moyenne et à calculer la probabilité que ces résultats soient dus à notre ou nos variables indépendantes en utilisant d'autres procédés comme le test t.

Donc, rappelons-nous...

- Les statistiques permettent de clarifier les résultats obtenus durant l'expérience.
- Les statistiques permettent de calculer la part du hasard dans les résultats.

La courbe normale
et la moyenne

Pour bien comprendre ce qu'est la moyenne, il faut d'abord savoir ce qu'est la courbe normale. Vous savez déjà tracer des graphiques, donc des courbes. Mais, qu'est-ce que peut bien être la « courbe normale »?

C'est simple. Si vous prenez un échantillon, c'est-à-dire un groupe, de sujets et que cet échantillon est assez grand, vous allez obtenir une courbe normale. Ainsi, considérons le poids de 200 éléphants d'Afrique, tous adultes, choisis au hasard. Répartissons maintenant ces éléphants en fonction de leur poids, comme dans le graphique suivant:

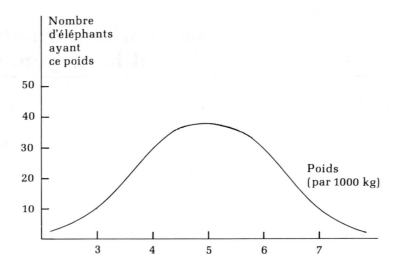

Figure 7. Répartition de 200 éléphants d'Afrique en fonction de leur poids en kg.

En regardant le graphique, on s'aperçoit que la majorité des éléphants pèsent entre quatre et six tonnes, plus précisément un peu moins de cinq tonnes. Les petits malingres de moins de trois tonnes et les goinfres de plus de sept tonnes sont peu nombreux. En fait, il y a aussi peu de malingres que de goinfres, la courbe étant symétrique. Autrement dit, si l'on coupe la courbe en plein milieu et que l'on en regarde une moitié dans un miroir, nous avons la courbe complète. Voilà ce qu'est une courbe normale. C'est une courbe dans laquelle les valeurs sont réparties de façon symétrique avec peu de sujets aux extrêmes et beaucoup au milieu. Dans une courbe normale, la moyenne de l'échantillon se trouve en plein milieu, à l'endroit où nous avons coupé notre courbe en deux pour la regarder dans le miroir. On dit alors de la moyenne que c'est une mesure de *tendance centrale*: elle nous indique

la caractéristique de tous les individus du groupe en la rame-
nant à un seul individu type. Ici, un éléphant moyen pèserait
4,95 tonnes.

Comment calculer la moyenne? Il suffit de prendre tous les
individus du groupe et d'additionner leur valeur puis de
diviser par le nombre total d'individus. Pour écrire cela plus
rapidement, et non pas pour vous terrifier, nous dirons:

$$\overline{X} = \frac{\Sigma x}{n}$$

Une telle formule est un simple code. Il suffit de connaître la
signification du code pour pouvoir lire et appliquer la formule. Ainsi, $\overline{X}$ est la moyenne, n est le nombre d'individus
dans le groupe et x chacune des valeurs mesurées. La lettre
grecque Σ veut dire sommation, donc addition. Si l'on traduit
la formule, nous obtenons:

$$\overline{X} = \frac{\Sigma x}{n} \quad \text{donc Moyenne} = \frac{\text{somme des mesures individuelles}}{\text{nombre d'individus}}$$

Avant de passer à des exercices sur la moyenne, il faut
cependant que vous sachiez que la moyenne est une bonne
mesure de la tendance centrale si votre groupe donne une
courbe normale. Malheureusement, il existe aussi des
courbes « anormales » où la majorité des individus se trouvent à un extrême de la courbe ou bien où les individus sont
également répartis d'un extrême à l'autre. Par exemple, si
nous prenons 200 adultes humains, au hasard, et que nous les
examinons en fonction du nombre de cigarettes fumées par
jour, nous obtiendrons peut-être le graphique suivant:

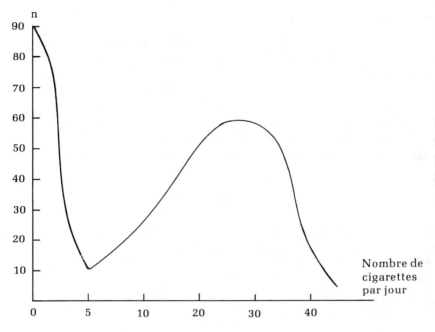

Figure 8. Répartition de 200 adultes humains en fonction du nombre de cigarettes fumées par jour.

La courbe montre qu'il y a deux types d'adultes, les non-fumeurs et les fumeurs. Beaucoup de gens ne fument aucune cigarette et beaucoup en fument 20 à 30 par jour. Par contre, très peu de gens fument 5 ou 40 cigarettes par jour. Si vous calculez la moyenne, vous obtiendrez peut-être un nombre de 8 cigarettes fumées par jour par individu. Mais ici, la moyenne décrit très mal votre courbe puisqu'il n'y a, en fait, que très peu d'individus qui fument 8 cigarettes par jour.

> La moyenne est une bonne mesure de la tendance centrale si la courbe est normale. Mais, plus la courbe est asymétrique, plus la moyenne devient une mauvaise mesure de la tendance centrale.

Sixième série d'exercices

Dans chacun des exercices suivants, calculez la moyenne du groupe et dessinez la courbe. Situez la moyenne sur votre courbe par un trait vertical et dites si la moyenne est, dans ce cas particulier, un bon indice de la tendance centrale. L'exercice A vous est donné comme modèle. Les corrigés sont à la page 159.

A. Vous avez 12 éléphants et offrez à chacun 10 kg de cacahuètes. Vous mesurez le temps qu'ils prennent pour les manger et vous obtenez les 12 valeurs suivantes pour votre variable dépendante: 26, 29, 27,5, 27, 27, 28, 27,5, 27, 25, 27, 26 et 27,5 secondes.

Calculez la moyenne, tracez la courbe et jugez de la moyenne comme indice de la tendance centrale.

Appliquons la formule $\overline{X} = \dfrac{\Sigma x}{n}$

donc $\overline{X} =$

$$\frac{26 + 29 + 27,5 + 27 + 27 + 28 + 27,5 + 27 + 25 + 27 + 26 + 27,5}{12}$$

$$\overline{X} = \frac{324,5}{12} = 27,04 \text{ secondes}$$

Maintenant le graphique! Pour remplir le graphique, il faut compter nos éléphants. Il y a un seul éléphant qui prend 25 s, 2 qui prennent 26 s, 4 qui prennent 27 s et ainsi de suite. Puis nous indiquons la moyenne à 27,04 s.

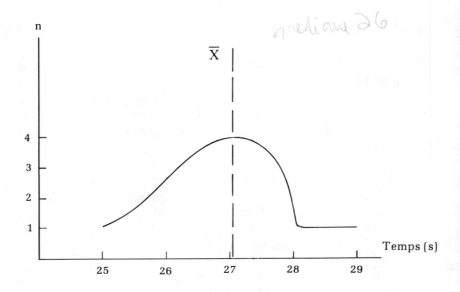

Figure 9. Répartition de 12 éléphants en fonction du temps qu'ils prennent pour manger 10 kg de cacahuètes.

En regardant le graphique, on voit que la moyenne est très légèrement décentrée. C'est une mesure acceptable de la tendance centrale du groupe d'éléphants.

B. Vous comptez le nombre de blessures subies par 10 mannequins ne portant pas de ceinture de sécurité lors d'un accident d'automobile. À partir des 10 valeurs données procédez au calcul de la moyenne de votre variable dépendante, dressez la courbe et jugez de la moyenne en tant que tendance centrale.

*Calculer
la moy
mode
écart type*

8 —▷ 1
9 —▷ 4
10 —▷ 2
11 —▷ 2
12 —▷ 1

$\bar{x}$: 9,8

Nombre de blessures: 8, 9, 9, 12, 10, 10, 11, 9, 9 et 11.

$\bar{X}$ = ___9,8___

$\dfrac{98}{10}$ 9,8

médiane 10

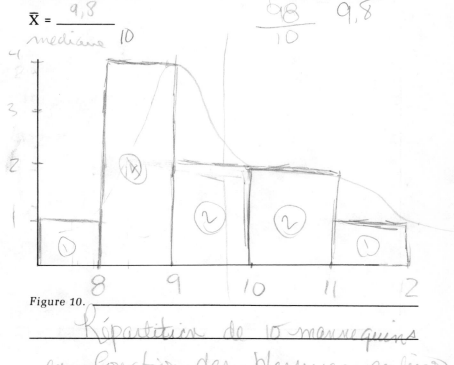

Figure 10.

Répartition de 10 mannequins
en fonction des blessures subies

C. Calculez le nombre d'erreurs commises en moyenne par 20 adultes humains exécutant une tâche de conduite automobile alors qu'ils ont 0,08% d'alcool dans le sang et dressez la courbe.

Nombre d'erreurs: 11, 15, 18, 22, 21, 22, 27, 14, 28, 27, 14, 22, 18, 18, 22, 21, 27, 21, 30 et 11.

20,45

10-14 : 4
15-19 = 4
20-24 : 7
25-29 : 4
30 et + : 1

La méthode scientifique en psychologie

il ya 5 sujet qui

$\overline{X} =$ _20,45_

médiane : 21

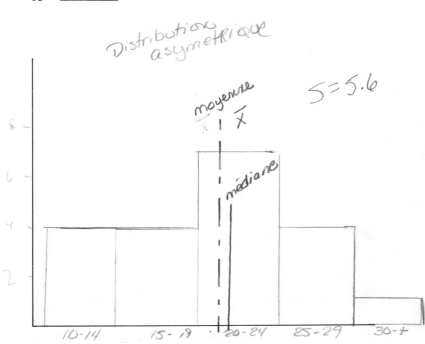

Distribution asymétrique

moyenne $\overline{X}$

$S = 5.6$

médiane

10-14   15-19   20-24   25-29   30-+

Figure 11. _____

Distribution de 20 adultes en fonction d'une tâche commise lors d'une tâche de conduite

D. À partir du tableau 1, calculez la moyenne de 200 étudiants de niveau collégial lors de leur dernier examen de psychologie. Après avoir fait la courbe et jugé de la moyenne comme indice de la tendance centrale, pouvez-vous juger de la valeur statistique de cet examen?

Tableau 1. Notes obtenues lors d'un examen de psychologie par 200 étudiants de niveau collégial.

Note obtenue (en %)		65%	70%	75%	80%	85%	90%	95%
Nombres d'étudiants ayant cette note		5	3	6	0	54	127	5

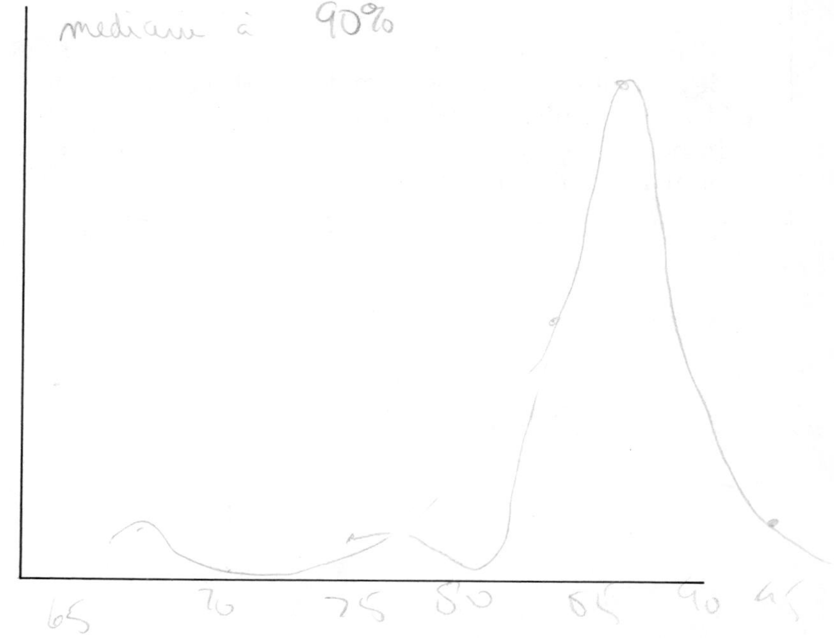

$X : 87,4\%$

médiane à 90%

Figure 12. _____

_____

_____

Donc, rappelons-nous...

- Une courbe normale est symétrique autour de la moyenne.
- La moyenne est un bon indice de la tendance centrale si la courbe est normale.
- La formule de la moyenne est

$$\overline{X} = \frac{\Sigma x}{n}$$

- Si la courbe est asymétrique la moyenne risque de devenir un mauvais indice de la tendance centrale.
- Il est possible de vérifier si une moyenne est un bon indice de la tendance centrale d'un groupe en dessinant la courbe du groupe.

La médiane

Vous vous dites peut-être, en ce moment, que les choses vont se compliquer: la moyenne, d'accord, vous saviez déjà la calculer mais la médiane, qu'est-ce que ça cache? Rien de plus complexe que ce que nous avons déjà vu.

Ainsi, vous savez déjà évaluer la médiane. En effet, la médiane est, comme la moyenne, une mesure de la tendance centrale et, dans le cas d'une courbe normale, la moyenne est égale à la médiane. Toutefois, lorsque la courbe est asymétrique, la moyenne se déplace et devient soit plus grande soit plus petite que la médiane.

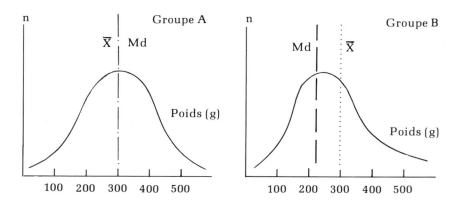

Figure 13. Distribution de deux groupes de rats en fonction de leur poids
en grammes, le groupe A ayant été soumis à un régime alimentaire
complet et le groupe B à un régime déficient.

Dans la figure 13, nous voyons que le graphique A, représen-
tant une courbe normale, montre l'égalité de la moyenne ($\overline{X}$)
et de la médiane (Md) alors que le graphique B, où la courbe
est asymétrique, montre une moyenne supérieure à la
médiane. Cela s'explique aisément si l'on sait que la moyenne
est une mesure algébrique alors que la médiane est une
mesure de position.

Comment cela? La moyenne est une mesure algébrique puisqu'il faut appliquer une formule algébrique pour la trouver.
Vous vous souvenez de

$$\overline{X} = \frac{\Sigma x}{n}$$

Mais, la médiane, elle, est une mesure de position car il n'y a
pas de formule pour la trouver. Il faut compter tous les

individus de l'échantillon, du plus petit au plus grand; la valeur de l'individu du milieu, c'est la médiane.

Md = valeur de la position centrale

Si la courbe est normale, donc symétrique, l'individu du milieu, donc la médiane, correspond à la moyenne. Si la courbe est asymétrique, l'individu du milieu ne correspond pas à la moyenne.

Revenons à nos éléphants de l'exercice A (dans la sixième série d'exercices). À partir de 12 valeurs, nous avons calculé qu'un éléphant, en moyenne, prenait 27,04 s à manger ses 10 kg de cacahuètes. Maintenant, quelle est la médiane?

Rangeons d'abord les valeurs de la plus petite à la plus grande: 25, 26, 26, 27, 27, 27, 27, 27,5, 27,5, 27,5, 28, 29.

Prenons maintenant l'individu du milieu. Il n'y en a pas! Comme le nombre de valeurs est pair (12) il n'y a pas 1 individu mais bien 2 individus au milieu, le sixième et le septième. Alors, prenons les deux. Nous avons 27 et 27. Calculons la moyenne de ces deux valeurs. Nous obtenons 27.

La médiane du groupe d'éléphants est 27. La moyenne est de 27,04. Sans même devoir dessiner la courbe nous savons qu'elle est symétrique puisque $\overline{X} \cong Md$.

Voici un autre exemple. On ouvre la grille d'une cage contenant 15 serins et on mesure le temps que les serins prennent pour s'envoler. Voici, en secondes, les valeurs qu'on obtient pour la variable dépendante:
        4, 9, 5, 7, 11, 16, 17, 3, 24, 12, 39, 11, 7, 9 et 12.
Calculons la moyenne:

$$\overline{X} = \frac{\Sigma x}{n} = \frac{186}{15} = 12,4$$

Pour connaître la médiane, il faut ranger les valeurs de la plus petite à la plus grande:

3, 4, 5, 7, 7, 9, 9, 11, 11, 12, 12, 16, 17, 24, 39

La valeur du milieu existe puisque le nombre de valeur est impair (15). Il s'agit du chiffre occupant la huitième position, donc 11.

Ici $\overline{X} \neq$ Md. La courbe est donc asymétrique. La moyenne n'est pas une très bonne mesure de la tendance centrale du groupe de serins. D'ailleurs, si vous regardez attentivement les résultats, vous voyez que deux serins ont pris beaucoup plus de temps pour s'envoler que les autres serins: c'est à cause d'eux que la moyenne est supérieure à la médiane.

La médiane, comme la moyenne, est une mesure de la tendance centrale. La moyenne est une mesure algébrique alors que la médiane est une mesure de position. Pour trouver la médiane, il faut mettre les valeurs en rang: lorsque le nombre de valeurs est impair, la médiane est égale à la valeur centrale. Lorsque le nombre d'individus est pair, la médiane est égale à la moyenne des deux valeurs centrales.

Avant de passer à une nouvelle série d'exercices, vous devez encore savoir deux choses au sujet de la médiane. Tout d'abord, la médiane étant une mesure de position et non une mesure algébrique, elle ne se prête pas aux calculs statistiques. Il n'est pas possible d'utiliser la médiane dans des tests comme le test t que nous verrons plus loin. Alors, à quoi sert-elle? Elle permet de juger de la moyenne comme mesure de la tendance centrale sans être obligé de dessiner la courbe. En effet, en comparant la moyenne à la médiane, vous savez si la courbe est symétrique ou non. Voilà d'ailleurs le second point que vous devez connaître. Lorsque la moyenne est égale à la médiane, la courbe est symétrique. Si la moyenne est supérieure à la médiane, comme c'était le cas des serins, cela veut dire que la courbe souffre de la grave maladie de l'asymétrie positive. Si, au contraire, la moyenne est inférieure à la médiane, c'est que la courbe est atteinte d'asymétrie négative. La figure 14 nous présente une courbe normale (la bosse au milieu), une courbe à asymétrie positive (la bosse à gauche) et une courbe à asymétrie négative (la bosse à droite).

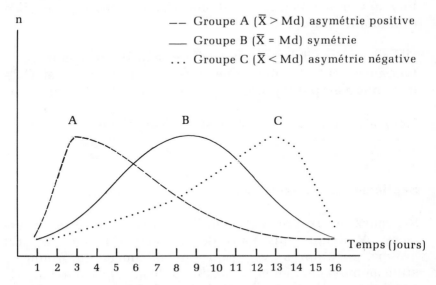

Figure 14. Distribution de 3 groupes de chameaux en fonction du nombre de jours qu'ils peuvent passer sans boire.

Le groupe A, ayant une moyenne supérieure à sa médiane, donne une courbe à asymétrie positive: cela nous indique que quelques-uns des chameaux du groupe A peuvent passer beaucoup plus de jours sans boire que les autres chameaux du groupe. À cause de ces quelques cas particuliers la moyenne est augmentée.

Le groupe B, qui a une moyenne égale à sa médiane, donne une courbe normale. Les chameaux de ce groupe comprennent autant de gros buveurs que de petits buveurs, la majorité buvant de façon moyenne.

Enfin, le groupe C, avec une moyenne inférieure à sa médiane, correspond à une courbe avec asymétrie négative. La plupart des chameaux de ce groupe sont très sobres mais quelques buveurs invétérés diminuent leur performance apparente en diminuant la moyenne.

Dans le groupe B, la moyenne est une excellente mesure de la tendance centrale alors que dans les groupes A et C la moyenne n'est pas représentative de la majorité des chameaux.

Nous allons maintenant voir si vous avez compris!

Septième série d'exercices

Reprenez les exercices A, B et C de la sixième série d'exercices. À chaque fois vous devez évaluer la médiane du groupe, puis, après avoir reproduit la courbe du groupe et situé sa moyenne, vous devez dire si le groupe est asymétrique ou non et si oui dans quel sens. L'exercice A est un modèle. Les corrigés sont à la page 162.

A.

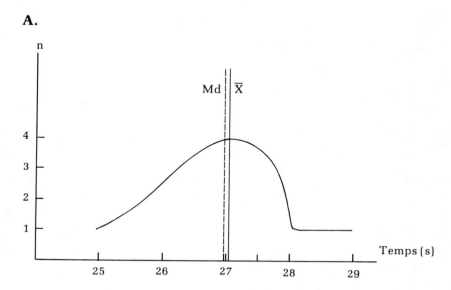

Figure 9 bis. Répartion de 12 éléphants en fonction du temps qu'ils prennent pour manger 10 kg de cacahuètes.

La courbe est symétrique.

B.

Figure 10 bis.

C.

Figure 11 bis.

Donc, rappelons-nous...

- La moyenne est une mesure algébrique de la tendance centrale.
- La médiane est une mesure de position de la tendance centrale.
- Si n (le nombre de valeurs) est impair, la médiane s'obtient en prenant la valeur de la position du milieu.

$$Md = \text{valeur de x situé à } \frac{n}{2} + 1$$

- Si n est pair, la médiane s'obtient en calculant la moyenne des deux valeurs en position du milieu.

$$Md = \frac{\text{valeur des 2 x situés à } \frac{n}{2} + 1 \text{ et à } \frac{n}{2}}{2}$$

- Si $\overline{X}$ = Md, la courbe est symétrique. La moyenne est une bonne mesure de la tendance centrale.
- Si $\overline{X}$ > Md, la courbe a une asymétrie positive. La moyenne est une moins bonne mesure de la tendance centrale car elle est déformée par quelques individus ayant une valeur plus élevée que le reste du groupe.
- Si $\overline{X}$ < Md, la courbe a une asymétrie négative. La moyenne est une moins bonne mesure de la tendance centrale car elle est déformée par quelques individus ayant une valeur plus basse que le reste du groupe.
- Plus l'écart entre la moyenne et la médiane est grand, plus la courbe est asymétrique et moins vous pouvez vous fier à votre moyenne.

La variance
et l'écart type

Nous savons maintenant 1) évaluer la médiane et 2) juger de la forme de la courbe en comparant la médiane à la moyenne. Malheureusement, vous vous en rappelez, la médiane est une mesure de position et ne se prête donc pas aux manipulations algébriques. En clair, cela signifie que la médiane nous aide à nous faire une idée du groupe mais ne nous sert pas pour calculer comment se comporte vraiment le groupe.

Afin de pouvoir procéder à des tests statistiques sur un ou des groupes, il faut utiliser une autre notion que la médiane: l'écart type. L'écart type, étant algébrique, va pouvoir être utilisé dans des calculs statistiques.

L'écart type, comme son nom l'indique, est l'écart qui existe entre les valeurs de la distribution. Plus l'écart type est grand, plus les valeurs sont éloignées les unes des autres donc plus la courbe est aplatie. À l'inverse, plus l'écart type est petit, plus les valeurs sont proches les unes des autres donc plus la courbe est « bossue ».

Mais, avant de voir comment l'on procède pour calculer l'écart type, nous devons parler de la variance. En effet, l'écart type est un dérivé de la variance.

La variance

Qu'est-ce que la variance? La variance est une mesure de variabilité de la distribution. Lorsque vous mesurez la moyenne ou la médiane, vous prenez une mesure de la tendance centrale pour savoir comment se comporte un élément type de la distribution. Au contraire, lorsque vous mesurez la variance, vous prenez une mesure de variabilité pour savoir comment se comporte l'ensemble de la distribution.

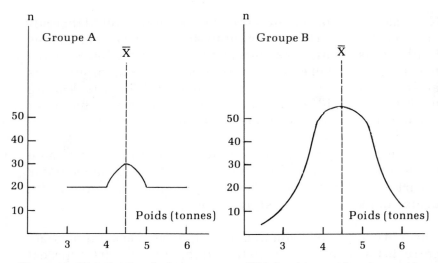

Figure 15. Distribution de deux groupes d'éléphants ayant le même poids moyen mais ayant des variations différentes.

Dans la figure 15, il apparaît que les groupes d'éléphants A et B sont très différents l'un de l'autre bien qu'ils aient la même moyenne donc une même tendance centrale. En effet, malgré l'égalité des moyennes, le groupe A a une variance, donc une variabilité plus grande que le groupe B.

Dans le groupe B, où la courbe est normale, la moyenne est égale à la médiane et la variance est faible: il y a beaucoup d'éléphants qui pèsent environ 4,5 tonnes et peu d'éléphants aux extrêmes. Par contre, pour le groupe A, la courbe est presque plate: la variance est grande: il y a beaucoup d'éléphants qui pèsent 3 tonnes et 6 tonnes et il y en a à peine un peu plus qui pèsent 4,5 tonnes. La variabilité des deux courbes est différente.

Autrement dit, si on prend un éléphant au hasard dans le groupe B, les probabilités de prendre un éléphant pesant autour de 4,5 tonnes sont grandes. Par contre, dans le groupe A, si vous choisissez un éléphant au hasard, vous avez presque autant de chance de prendre un petit minable de 3 tonnes qu'un noble pachyderme de 4,5 tonnes.

Ainsi, en prenant la variance, nous saurons si nos sujets sont regroupés autour de la moyenne ou si, au contraire, ils sont très dispersés.

Comment calculer la variance?* Voici l'impressionnante et traumatisante formule qu'il faut utiliser:

---

* La formule donnée, soit celle de s^2, correspond en fait à ce qu'on appelle la variance corrigée. La variance de la population, σ^2, a une formule légèrement différente. Toutefois, comme il est extrêmement rare, en psychologie expérimentale, de travailler sur la totalité d'une population, l'auteur préfère passer sous silence la formule de σ^2.

$$s^2 = \frac{n\Sigma x^2 - (\Sigma x)^2}{n(n-1)}$$

En fait, cette formule n'a en réalité rien de traumatisant puisque vous en connaissez déjà le code: s^2 signifie variance, n signifie le nombre d'individus dans la distribution, x c'est chacun des individus et Σ est le symbole de la sommation, donc de l'addition. La formule, une fois traduite en français, vous indique donc de procéder selon les étapes suivantes:

étape 1: $n\Sigma x^2$
Vous devez prendre chacun des individus (x) de la distribution et mettre sa valeur au carré. Une fois tous ces carrés calculés, vous en faites la sommation (Σ) puis vous multipliez le total par le nombre d'individus (n).

étape 2: $(\Sigma x)^2$
C'est aussi simple à calculer qu'une moyenne. Vous faites la sommation (Σ) des valeurs de tous les individus (x) et vous mettez le total au carré.

étape 3: $n\Sigma x^2 - (\Sigma x)^2$
Vous vous souvenez sûrement de la soustraction!

étape 4: $n(n-1)$
Vous prenez le nombre d'individus dans la distribution (n), vous lui soustrayez 1 et vous multipliez le résidu par n.

étape 5: $\dfrac{n\Sigma x^2 - (\Sigma x)^2}{n(n-1)}$

Il ne vous reste plus qu'à faire la division et vous obtenez la variance (s^2).

Revenons encore une fois à nos élépants (sixième série d'exercices). Nous avons 12 éléphants qui prennent, en moyenne, 27,04 s à dévorer leur friandise préférée, la médiane étant de 27 s. Quelle est la variance du groupe?

Considérons votre distribution:
$$25, 26, 26, 27, 27, 27, 27, 27,5, 27,5, 27,5, 28, 29$$

Calculons maintenant $s^2 = \dfrac{n\Sigma x^2 - (\Sigma x)^2}{n(n-1)}$

étape 1: $n\Sigma x^2$

Comme il y a 12 éléphants, n = 12, donc:
$12\Sigma x^2$
Mettons chacune des valeurs au carré ce qui nous donne 12 nouvelles valeurs: 625, 676, 676, 729, 729, 729, 729, 756,25, 756,25, 756,25, 784, 841.
Additionnons ces 12 valeurs: 8 786,75.

Et, enfin, multiplions cette valeur par n
n (8 786,75) = 12(8 786,75) = 105 441

étape 2: $(\Sigma x)^2$
Additionnons les 12 valeurs de la distribution:
324,5
multiplions ce total par lui-même: 105 300,25

étape 3: $n\Sigma x^2 - (\Sigma x)^2 = 105\,441 - 105\,300,25 = 140,75$

étape 4: $n(n-1) = 12(12-1) = 132$

étape 5: $s^2 = \dfrac{n\Sigma x^2 - (\Sigma x)^2}{n(n-1)} = \dfrac{140,75}{132} = 1,06$

Notre groupe d'éléphants arachidophiles a donc une variance de 1,06 ce qui n'est pas une très grande variance. Cela signifie que la courbe a une bonne « bosse » et que la majorité des éléphants prennent relativement le même nombre de secondes pour dévorer leur pitance.

Évidemment, plus la variance se rapproche de un, plus les individus se ressemblent et inversement plus la variance est grande plus la courbe est plate et donc plus les individus sont différents.

Pour bien comprendre ce principe, reprenons nos 12 éléphants en changeant la valeur de 3 d'entre eux:
$$25, 26, 26, \mathbf{4, 4, 1}, 27, 27,5, 27,5, 27,5, 28, 29$$

Pensez-vous que la variance en sera affectée? Et si oui, deviendra-t-elle plus grande ou plus petite? Nous allons voir ça.

La nouvelle moyenne des éléphants est de 21,04.

La variance est égale à:

$$s^2 = \frac{n\Sigma x^2 - (\Sigma x)^2}{n(n-1)} = \frac{12\Sigma x^2 - (252,5)^2}{12(11)} = \frac{12(6632,75) - 63756,25}{132}$$

$$= \frac{79593 - 63756,25}{132} = \frac{15836,75}{132} = 119,97$$

La nouvelle variance étant de 119,97, alors que la précédente était de 1,06, on voit bien que le fait d'avoir introduit des individus très différents dans le groupe a modifié la distribution. La variance est belle et bien une mesure de la variabilité. Elle est très fortement affectée alors que la moyenne, qui est une mesure de tendance centrale, l'est peu (elle passe de 27,04 s à 21,04 s).

La variance est une mesure de la variabilité indiquant que le groupe est plus ou moins homogène.

La variance se calcule par la formule

$$s^2 = \frac{n\Sigma x^2 - (\Sigma x)^2}{n(n-1)}$$

Plus la variance est petite, plus la masse des individus de la distribution se ressemblent. Plus la variance est grande plus les individus de la distribution sont différents.

Et maintenant quelques exercices!

Huitième série d'exercices

Reprenez encore une fois les exercices A, B, et C de la sixième série. Calculez la variance du groupe. Puis faites l'exercice D et, après avoir calculé les variances et les moyennes demandées, tentez de répondre aux questions qui vous sont posées. Les corrigés sont à la page 164.

A. Calculez la variance du groupe de 12 éléphants

$$s^2 = \frac{n\Sigma x^2 - (\Sigma x)^2}{n(n-1)}$$

$n\Sigma x^2 =$ _____

_____

_____

$(\Sigma x)^2 =$ _____

$n\Sigma x^2 - (\Sigma x)^2 =$ _____

$n(n-1) =$ _____

$s^2 =$ _____

B. La variance du groupe de mannequins est de:

$n\Sigma x^2 =$ _____

_____

_____

$(\Sigma x)^2 =$ _____

$n\Sigma x^2 - (\Sigma x)^2 =$ _____

$n(n-1) =$ _____

$s^2 =$ _____

C. La variance du groupe d'adultes humains effectuant une tâche de conduite automobile est de:

$$s^2 = \frac{n\Sigma x^2 - (\Sigma x)^2}{n(n-1)} = \frac{ - (\Sigma x)^2}{n(n-1)} = \frac{ -}{n(n-1)}$$

$$= \frac{}{n(n-1)} = \frac{}{} = \frac{}{}$$

D. Vous allez achetez des fruits chez un commerçant dont le thème publicitaire dit: « Nos fruits ont été, en moyenne, cueillis il y a 24 heures. » Chez ce commerçant, toutefois, vous devez acheter vos fruits dans un emballage fermé qui contient 10 fruits. Vous ne pouvez donc voir ce que vous achetez.

Comme vous êtes un consommateur habile, vous ne vous fiez pas à la moyenne car elle peut être un mauvais indice de la tendance centrale. Vous réussissez, par une chance inouïe, à voir les feuilles d'achat du commerçant. Vous découvrez alors les chiffres suivants:

Tableau 2. Nombre d'heures écoulées depuis la cueillette pour 20 caisses de fruits.

Sorte de fruit	Nombre de caisses	Heures écoulées pour chacune des caisses
Pomme	12	3, 2, 3, 3, 2, 4, 5, 3, 3, 1, 2, 2
Poire	5	23, 32, 30, 35, 32
Melon	3	98, 99, 88

Calculez la moyenne d'heure écoulées pour les 20 caisses.

$$\overline{X} = \frac{\Sigma x}{n} = \frac{470}{20} = 23.5 \text{ hrs.}$$

Évaluez la médiane pour les 20 fruits.

$$Md = \frac{n+1}{2} \text{ et } \frac{n}{2} = \frac{20+1}{2} \text{ et } \frac{20}{2} = 21$$

Md = 3.5 hrs

Question semblable d'examen

S= 33.17

Le fruit le + frais : .67

"   "   " - frais : 2.2

$\frac{22.5}{33.17} =$

$\frac{75.5}{33.17} =$

La variance et l'écart type

1 ← 22.5 → 23.5 ← 75.5 → 99

La courbe est-elle asymétrique? Précisez.

La courbe est asymétrique pcq la moyenne est plus grande que la médiane

Calculez la variance:

$$s^2 = \frac{n\Sigma x^2 - (\Sigma x)^2}{n(n-1)} = \frac{20 \cdot 3345 - (\Sigma x)^2}{n(n-1)} = \frac{66900 - 470^2}{n(n-1)}$$

$$\frac{66900 - 22090}{n(n-1)} = \frac{44810}{20(19)} = \frac{44810}{380} = 1179.2$$

1100

Bonne Rép.

Et enfin, selon vous, la publicité de ce commerçant est-elle honnête? Justifiez votre réponse.

Dis-on que le commerçant dit vrai quand il annonce une moyenne de cueillette de 24 hrs alors que la vrai moyenne est de 23.5 hrs.

Par contre à cause de l'énorme variance entre la moyenne et l'écart type mais ce n'est pas conforme à la tendance centrale.

129

L'écart type

Voilà, nous connaissons maintenant deux mesures de la tendance centrale soit la moyenne et la médiane et une mesure de variabilité qui est la variance. De plus, nous en voyons l'utilité. Pourtant, il faut encore affronter l'écart type!

Et quel affrontement! L'écart type est prodigieusement difficile à calculer. D'ailleurs, en voici la formule:

$$s = \sqrt{\frac{n\Sigma x^2 - (\Sigma x)^2}{n(n-1)}}$$

Mais, vous en conviendrez, cette formule a un petit air de déjà connu! Oui, l'écart type n'est que la racine carré de la variance. Il est donc, en réalité très facile à calculer. D'ailleurs, pour bien indiquer qu'il s'agit de la racine carrée de la variance on l'appelle s alors que la variance s'appelle s^2. Dès que vous avez la variance d'une distribution vous en avez automatiquement l'écart type.

À quoi sert l'écart type? Tout simplement à savoir comment sont échelonnés les x dans la distribution: les x sont-ils rapprochés? Un x particulier est-il loin ou près de la moyenne? L'écart type répond à ces questions.

Ainsi, beaucoup d'universités sélectionnent les candidats qui veulent être admis dans une faculté ou un département contingenté en utilisant l'écart type. Supposons que vous voulez être admis en psychologie, qui est un département contingenté. Il y a 1 000 candidats mais seulement 100 places. L'administration de l'université calcule d'abord la moyenne des notes des candidats puis calcule l'écart type de cette distribution. Les candidats ayant un écart type au-dessus de la moyenne pourront être admis alors que tous les autres seront refusés.

Voici cette situation mais avec seulement 10 candidats.

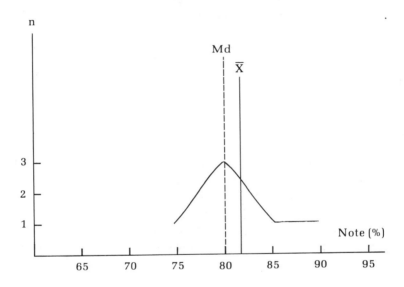

Figure 16. Distribtuion de 10 candidats à l'université en fonction de leurs notes scolaires.

Les 10 valeurs de cette distribution étant
75, 77,5, 77,5, 80, 80, 80, 82,5, 82,5, 85 et 90,
la moyenne est de 81% alors que la variance est égale à:

$$s^2 = \frac{n\Sigma x^2 - (\Sigma x)^2}{n(n-1)} = \frac{657\,750 - 656\,100}{90} = 18,33$$

L'écart type est donc de: $s = \sqrt{s^2} = \sqrt{18,33} = 4,28$

Si l'université accepte uniquement les candidats ayant un écart type au-dessus de la moyenne, seul l'étudiant ayant 90 sera admis puisque la moyenne est de 81 et l'écart type de 4,28, il faut avoir plus de 85,28 pour être admis. Toutefois, rassurez-vous un peu. Plus l'échantillon est grand, c'est-à-dire plus il y a de candidats, plus l'écart type est réduit (sauf s'il y a des cas très particuliers comme un candidats ayant une moyenne de 65%). Il est rare, dans le cas des demandes d'admission à l'université, que l'écart type soit si grand.

Neuvième série d'exercices

Reprenez les exercices A, B, C et D de la huitième série et calculez à chaque fois l'écart type du groupe. Répondez aussi aux questions qui vous sont posées.

A. Après avoir calculé l'écart type du groupe d'éléphants pouvez-vous dire combien d'éléphants ont un écart type sous la moyenne?

$s = \sqrt{s^2} =$

_____

_____

B. Calculez l'écart type.

$s = \sqrt{s^2} =$

Y a-t-il des mannequins à 2 écarts type au-dessus de la moyenne?

_____

C. $s = \sqrt{s^2} =$

Y a-t-il un des adultes, ou plusieurs adultes, qui commettent beaucoup moins d'erreurs que les autres lorsqu'ils sont sous l'influence de l'alcool?

_____

D. $s = \sqrt{s^2} =$

À combien d'écarts type de la moyenne se trouve le fruit le plus frais? Et le fruit le moins frais?

_____

Donc, rappelons-nous...

- La variance et l'écart type sont des mesures de variabilité alors que la moyenne et la médiane sont des mesures de la tendance centrale.
- Plus la variance est près de un, plus la majorité des individus du groupe se ressemblent, donc plus le groupe est homogène, donc plus la courbe est « bossue ».
- Plus la variance est élevée, plus les individus du groupe sont différents et donc plus la courbe de distribution est « aplatie ».
- La formule de la variance est:

$$s^2 = \frac{n\Sigma x^2 - (\Sigma x)^2}{n(n-1)}$$

- L'écart type permet de situer les individus de la distribution à partir de la moyenne.
- Plus l'écart type est petit, plus les individus sont semblables car ils sont plus rapprochés de la moyenne.
- Plus l'écart type est grand, plus les individus sont différents car ils sont plus éloignés de la moyenne.
- L'écart type est la racine carrée de la variance:

$$s = \sqrt{s^2} = \sqrt{\frac{n\Sigma x^2 - (\Sigma x)^2}{n(n-1)}}$$

Test de comparaison
de moyennes: le test t

Il existe plusieurs méthodes statistiques pour comparer des groupes. Ainsi, il est possible de comparer les variances des groupes (analyse de variance), de comparer l'évolution des groupes (corrélation) ou, encore, de comparer les moyennes des groupes. Dans ce dernier cas, qui est celui qui nous intéresse, il y a plusieurs possibilités: selon le type de groupe que vous avez, vous pouvez utiliser les « scores z », les « chi-carrés » ou bien le test t. Toutefois, dans la plupart des situations découlant de la méthodologie expérimentale, c'est le test t qui s'applique. C'est pourquoi nous allons maintenant étudier ce test.

Lorsque l'on procède à une recherche en utilisant la méthodologie expérimentale, il faut élaborer un schème expérimental comme cela a été dit dans la partie précédente. Au moment de décider de son schème expérimental, il est bon de choisir le schème non seulement en fonction des variables et des contrôles mais aussi en fonction des tests statistiques qu'il faudra exécuter au moment de l'analyse des résultats. Si vous voulez utiliser le t il faut vous assurer 1) que vos groupes sont normaux c'est-à-dire que votre variable dépendante se distribue selon une courbe normale, 2) que la distribution de la variable est continue et 3) que vos observations sont indépendantes. En clair, cela signifie que si vous vous contentez d'observer pour un seul éléphant s'il mange, ou non, la totalité de ses cacahuètes puis, dans une deuxième temps, le même éléphant vider ou ne pas vider son assiette, vous ne pouvez pas utiliser le test t. En effet, 1) la distribution ne contient pas assez de sujets pour être normale, 2) la distribution de la variable n'est pas continue puisqu'il n'y a que deux cas possibles, vider ou ne pas vider son assiette et 3) les observations ne sont pas indépendantes puisqu'il s'agit du même éléphant.

Par contre, si vous mesurez le temps, en secondes, que prennent 20 éléphants d'Afrique pour manger 10 kg de cachuètes et que vous vouliez comparer ce temps à celui que prennent 20 éléphants d'Asie pour en faire autant, vous pouvez utiliser le t. Cette fois, il est possible de postuler 1) que les courbes sont normales (quelques éléphants mangeront plus vite ou moins vite mais la plupart mangeront à peu près à la même vitesse et ce, pour les deux groupes d'éléphants), 2) que la distribution de la variable est continue, les secondes variant de 0 à l'infini et 3) que les observations sont indépendantes puisqu'il ne s'agit pas des mêmes éléphants.

Il faut donc, en élaborant son schème expérimental, éviter les situations où les sujets ne répondraient que par oui ou par non, ou encore, il faut éviter d'avoir trop peu de sujets. Dans plusieurs cas, cependant, il est intéressant d'utiliser deux fois les mêmes sujets. Mais, en ce cas, il faut savoir que les observations sont reliées et non pas indépendantes: le test que nous allons voir ne s'appliquera pas.

D'autre part, dans un schème expérimental, prévoyez toujours, dans la mesure du possible, d'avoir des groupes égaux, c'est-à-dire à n égaux. Si vous prenez cette précaution, vos calculs de t seront plus faciles à exécuter. Par contre, si vos n sont inégaux, le t s'applique encore mais la formule est plus fastidieuse à utiliser. Il est plus simple, donc, d'acheter 10 éléphants d'Afrique et 10 éléphants d'Asie puis de procéder avec des n égaux que de se payer l'étrange fantaisie d'acheter 11 éléphants d'une sorte et 10 de l'autre puis de procéder avec des n inégaux. Toutefois, si par malheur un de vos éléphants s'envole juste avant votre expérience, vous procédez alors avec des n inégaux plutôt que de tout arrêter pour aller acheter un éléphant supplémentaire.

Il nous faut encore parler, avant d'apprendre comment se calcule un t, de la notion de « seuil de signification ». Le seuil de signification est un valeur au dessus ou en dessous de laquelle l'hypothèse nulle est rejetée. Dans le cas du test t, si la valeur de t est inférieure à la valeur du seuil, l'hypothèse nulle doit être conservée alors qu'elle est rejetée si t est supérieur au seuil. Vous vous posez très probablement deux questions en ce moment: qu'est que c'est que cette histoire d'hypothèse nulle et comment le seuil de signification est-il déterminé?

Lorsque l'on compare deux moyennes nous posons, en fait, deux hypothèses. La première hypothèse prévoit que les deux moyennes sont semblables ($\overline{X}_1 = \overline{X}_2$) et donc que la différence est nulle. La seconde hypothèse, au contraire, prévoit que les deux moyennes sont différentes ($\overline{X}_1 \neq \overline{X}_2$). Si, après avoir calculé t, nous obtenons une valeur de t inférieure au seuil de signification, l'hypothèse nulle est conservée: il n'y a pas de différence entre les moyennes. Par contre, si t est supérieur au seuil de signification, l'hypothèse nulle est rejetée: il y a une différence entre les moyennes. C'est justement parce que t permet de vérifier l'hypothèse nulle que t est un test de comparaison de moyennes.

Maintenant, parlons du seuil. Au début de cette partie du manuel nous avons vu qu'il y avait des seuils de 0,10, de 0,05 et de 0,01. Vous vous souvenez peut-être du champagne et de la bière? Supposons que, en comparant deux moyennes, vous obtenez un «t» de 3,005. Vous voulez savoir si l'hypothèse nulle est rejetée. Il faut d'abord calculer le degré de liberté (dl), ce que nous verrons plus loin en même temps que la formule de t. Puis, vous consultez la table de «t» qui se trouve à la page 171. Vous trouverez alors, en fonction du degré de liberté et de chacun des seuils 0,10, 0,05 et 0,01 une valeur. Si t est plus grand que cette valeur, l'hypothèse nulle est rejetée. Ainsi, pour un degré de liberté de 11 les valeurs à 0,10, 0,05 et 0,01 sont respectivement de 1,796, 2,201 et de 3,106. La valeur de t étant de 3,005 l'hypothèse nulle est rejetée à 0,10 et à 0,05 mais pas à 0,01. Nous dirons alors que t est significatif (plus grand que le seuil de signification) à 0,05 et non significatif à 0,01. Nous pouvons nous offrir une bière puisqu'il y a 95% des probabilités que les moyennes comparées soient vraiment différentes mais nous ne nous offrons pas le champagne: en effet nous ne sommes pas sûrs à 99% puisque t est non significatif à 0,01.

Prenons un exemple, et pas des éléphants cette fois, car il faut varier ses exemples, sous peine d'ennuyer le lecteur. Vous avez 10 professeurs de psychologie et 10 professeurs de sociologie. Vous les forcez, chacun, à manger 1 kg de cacahuètes et vous mesurez le temps qu'ils prennent pour s'exécuter. Les moyennes sont de 21,4 s pour les professeurs de psychologie et de 22,7 s pour les professeurs de sociologie. Vous calculez un t de 1,786 à un degré de liberté de 19. En consultant la table de la page 171, vous constatez que t est inférieur aux valeurs de 0,05 et de 0,01 mais qu'il est supérieur à la valeur de 0,10. La valeur de t est donc significative à 0,10. Il y a donc 90% des probabilités que les professeurs de psychologie, avec une moyenne de 21,4 s, apprécient davantage les cacahuètes que les professeurs de sociologie qui, eux, ont une moyenne de 22,7 s.

- Pour utiliser le test t, il faut que 1) la courbe soit normale, 2) la distribution soit continue et 3) les observations soient indépendantes.
- Le test t est un test de comparaison de moyenne car il permet de rejeter ou de conserver l'hypothèse nulle selon laquelle $\overline{X}_1 = \overline{X}_2$.
- Si t est supérieur à la valeur-seuil, l'hypothèse nulle est rejetée et t est significatif.
- La valeur-seuil est déterminée par les seuils de signification (0,10, 0,05 et 0,01) et par le degré de liberté.
- Les seuils de signification indiquent si les différences entre deux groupes sont le fait du hasard. Plus ce pourcentage est faible, plus vous pouvez vous fier à vos résultats.

Si vous avez bien compris le seuil de signification, dites-vous que le plus difficile est fait. En effet, la formule de t n'est pas très complexe. Le principe sur lequel elle se base est de comparer les moyennes des groupes à leur variance: si les moyennes ont l'air différentes et que les variances sont semblables, t sera grand; au contraire, si les moyennes se ressemblent et que les variances sont différentes, t sera petit. Regardons la figure 17.

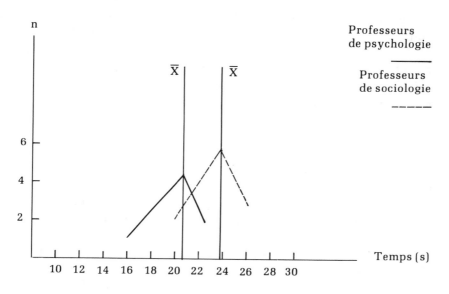

Figure 17. Distribution de deux groupes de 10 professeurs quant au temps qu'ils mettent à manger 1 kg de cacahuètes.

En comparant les deux courbes il est possible de s'apercevoir qu'elles ne se recoupent pas beaucoup: la zone qui leur est commune est petite. Les deux moyennes sont différentes, à l'oeil, et les deux groupes peuvent avoir une variance assez semblable. Le t sera sans doute significatif et les deux moyennes sont donc probablement vraiment différentes.

Maintenant, regardons la figure 18.

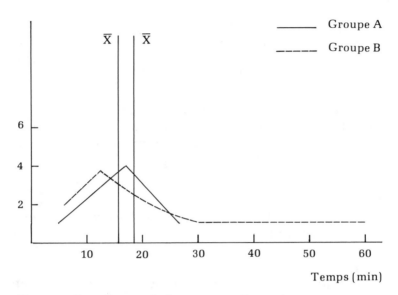

Figure 18. Distribution de deux groupes de 10 pigeons voyageurs en fonction du temps qu'ils ont mis pour parcourir un trajet.

Cette fois les deux moyennes sont passablement rapprochées et les deux variances ont l'air différentes puisque la moyenne du groupe B est très affectée par un seul sujet qui a pris un temps beaucoup plus long que les autres. La variance du groupe B sera très grande en comparaison de celle du groupe A ce qui va réduire la valeur de t. Il y a peu de chances que t soit significatif: les groupes ne sont sans doute pas vraiment différents.

Ce principe de mise en relation de moyennes et des variances apparaît clairement dans la formule de t *pour n égaux* (nous verrons un peu plus loin la formule pour n inégaux). Cette formule est:

$$t = \frac{\overline{X}_1 - \overline{X}_2}{\sqrt{\dfrac{s_1^2 + s_2^2}{n}}}$$

moy 1er gr — *moyenne 2e gr* — *variance 2e gr* — *variance 1er gr*

groupe égaux

La formule de t consiste donc à mettre en rapport la différence des deux moyennes et les deux variances. Or nous savons déjà calculer une variance. Néanmoins, voici comment procéder pour calculer t.

étape 1: $\overline{X}_1 - \overline{X}_2$
L'on soustrait la plus petite des deux moyennes de la plus grande.

étape 2: s_1^2
Il faut calculer la variance du premier groupe en appliquant la formule

$$s_1^2 = \frac{n\Sigma x^2 - (\Sigma x)^2}{n(n-1)}$$

étape 3: s_2^2
On calcule la variance du second groupe de la même façon.

étape 4: $\sqrt{\dfrac{s_1^2 + s_2^2}{n}}$

Une fois les deux variances connues, on en fait l'addition que l'on divise par n. Il ne reste qu'à calculer la racine carrée du nombre obtenu.

étape 5:
$$t = \frac{\overline{X}_1 - \overline{X}_2}{\sqrt{\dfrac{s_1^2 + s_2^2}{n}}}$$

Vous effectuez la division et vous connaissez t.

Évidemment, une fois t connu, vous devez connaître le degré de liberté pour juger de la signification de t. Dans le cas de n égaux le degré de liberté est égal à n moins 1 multiplié par 2.

$$dl = 2(n - 1)$$

Supposons maintenant que, à la suite d'un malheur quelconque, vous ayez des n inégaux. La formule de t est alors:

groupe non égaux

$$t = \frac{\overline{X}_1 - \overline{X}_2}{\sqrt{\dfrac{(n_1 - 1)s_1^2 + (n_2 - 1)s_2^2}{n_1 + n_2 - 2}\left(\dfrac{1}{n_1} + \dfrac{1}{n_2}\right)}}$$

$$dl = n_1 + n_2 - 2$$

En fait, vous voyez que la formule de t, ainsi que celle du degré de liberté, est basée sur le même principe que pour le cas de n égaux. Cependant, la nouvelle formule tient compte des deux n puisqu'ils sont inégaux. Les calculs sont donc légèrement plus longs.

Nous allons procéder à une dernière série d'exercices. Si vous avez bien fait tous les exercices précédents ceux-ci ne devraient guère vous sembler compliqués. Le premier exercice vous sert d'exemple.

Dixième série d'exercices

Dans chacun des exercices qui suivent vous devez calculer le t de comparaison des moyennes. Toutefois, avant même de calculer le t, vous devrez tenter de prévoir si ce t sera ou non significatif en vous fiant aux moyennes, aux médianes et aux variances. Les corrigés sont à la page 167.

A. Vous devez comparer la performance fournie, lors d'un examen de statistiques, par deux groupes d'étudiants dont les sujets de l'un ont fait leurs exercices alors que les sujets de l'autre n'ont pas fait leurs exercices. Les sujets du groupe 1 (exercices faits) et du groupe 2 (exercices non faits) obtiennent les notes suivantes sur 20.

Groupe 1: 14, 17, 20, 15, 16, 12, 14, 18, 11, 13
Groupe 2: 19, 12, 14, 10, 9, 11, 7, 15, 10, 13, 20, 12

Les moyennes des deux groupes sont-elles différentes?

Nous allons faire ce premier exercice ensemble. Il faut remarquer, tout d'abord, que les n sont inégaux puisque le groupe 1 contient 10 sujets et que le groupe 2 en contient 12. Il faut aussi signaler que le test t pourra être utilisé puisqu'il y a assez de sujets, qu'il s'agit de distributions continues et que les observations sont indépendantes.

Commençons par calculer les deux moyennes.

Groupe 1:

$$\overline{X}_1 = \frac{\Sigma x}{n} = \frac{14 + 17 + 20 + 15 + 16 + 12 + 14 + 18 + 11 + 13}{10} = 15$$

Groupe 2:

$$\overline{X}_2 = \frac{\Sigma x}{n}$$

$$= \frac{19 + 12 + 14 + 10 + 9 + 11 + 7 + 15 + 10 + 13 + 20 + 12}{12}$$

$$= 12,66$$

Quoique nous sachions maintenant que $\overline{X}_1 = 15$ et que $\overline{X}_2 = 12,66$, nous ne pouvons pas encore prévoir si le t sera significatif puisque nous ne savons pas encore si ces deux moyennes sont de bonnes mesures de la tendance centrale de chaque groupe. C'est pourquoi nous allons maintenant évaluer les médianes.

Groupe 1: le nombre de x étant pair,

$$Md = \frac{\text{valeur des 2 x se trouvant à } \frac{n}{2} \text{ et à } \frac{n}{2} + 1}{2}$$

la série, mise en ordre, donne:
11, 12, 13, 14, 14, 15, 16, 17, 18, 20

Donc $Md = \dfrac{14 + 15}{2} = \boxed{14,5}$

Groupe 2: le nombre de x est encore pair. La série est:
7, 9, 10, 10, 11, 12, 12, 13, 14, 15, 19, 20

Donc $Md = \dfrac{12 + 12}{2} = \boxed{12}$

Il apparaît que les médianes sont rapprochées des moyennes et ce, pour les deux groupes. Les moyennes sont donc probablement de bonnes mesures de la tendance centrale des groupes. Le fait que les deux moyennes aient l'air différentes nous permet de penser que t sera significatif. Mais, pour en être plus certains, calculons les deux variances.

Groupe 1: la variance = $\dfrac{n\Sigma x^2 - (\Sigma x)^2}{n(n-1)}$

Mettons chacun des x du groupe au carré.
Nous obtenons alors la série suivante:
196, 289, 400, 225, 256, 144, 196, 324, 121, 169.
La $\Sigma x^2 = 2320$ donc $n\Sigma x^2 = 23\,200$
Quant à la $(\Sigma x)^2$ elle est de:
$(\Sigma x)^2 = (150)^2 = 22\,500$

Donc $s_1^2 = \dfrac{n\Sigma x^2 - (\Sigma x)^2}{n(n-1)}$

$= \dfrac{23\,200 - 22\,500}{10(9)}$

$= \dfrac{700}{90}$

$= \boxed{7,77}$

Groupe 2: la série des x^2 est:

362, 144, 196, 100, 81, 121, 49, 225, 100, 169, 400, 144

Donc $s_2^2 = \dfrac{n\Sigma x^2 - (\Sigma x)^2}{n(n-1)}$

$= \dfrac{n(2090) - (152)^2}{12(11)}$

$= \dfrac{25\,080 - 23\,104}{132}$

$= \boxed{14,96}$

Il apparaît maintenant que les variances sont assez grandes, surtout celles du groupe 2. Les variances étant élevées et les moyennes ayant l'air différentes, t pourrait ne pas être significatif. Mais, le mieux est encore de calculer t (en utilisant, bien sûr, la formule pour n inégaux).

$$t = \dfrac{\overline{X}_1 - \overline{X}_2}{\sqrt{\dfrac{(n_1 - 1)s_1^2 + (n_2 - 1)s_2^2}{n_1 + n_2 - 2}\left(\dfrac{1}{n_1} + \dfrac{1}{n_2}\right)}}$$

$$t = \dfrac{15 - 12,66}{\sqrt{\dfrac{9(7,77) + 11(14,96)}{22 - 2}\left(\dfrac{1}{10} + \dfrac{1}{12}\right)}}$$

$$t = \dfrac{2,34}{\sqrt{\dfrac{69,93 + 164,56}{20}\left(\dfrac{11}{60}\right)}}$$

$$t = \frac{2,34}{\sqrt{11,72 \left(\frac{11}{60}\right)}} = \frac{2,34}{\sqrt{2,14}} = \frac{2,34}{1,46} = \boxed{1,60}$$

À un degré de liberté de $n_1 + n_2 - 2$, donc de 20, t est-il significatif?

Il suffit de consulter les tables de la page 171 pour constater que t n'est pas significatif puisqu'il est inférieur aux valeurs seuils.

Voilà. Il ne vous reste qu'à faire seul les exercices qui suivent!

B. Un groupe de 10 éléphants d'Asie et un groupe de 10 éléphants d'Afrique sont évalués en fonction de la surface de leurs oreilles en mètres carrés. Les chiffres suivants sont alors obtenus:

Groupe 1 (éléphants d'Asie): 1,85, 1,78, 2,03, 1,95, 1,44, 2,23, 1,70, 1,82, 1,90, 1,96

Groupe 2 (éléphants d'Afrique): 2,72, 2,87, 3,05, 2,54, 2,47, 2,39, 2,56, 1,63, 2,13, 2,49

Comparez les deux groupes d'abord à l'aide des moyennes, puis des médianes et enfin des variances, Procédez ensuite au test t.

Les moyennes: $\overline{X}_1 =$ $\overline{X}_2 =$

Les médianes: $Md_1 =$ $Md_2 =$

Les variances:

$$s_1^2 = \frac{n\Sigma x^2 - (\Sigma x)^2}{10(9)} \qquad\qquad s_2^2 = \frac{n\Sigma x^2 - (\Sigma x)^2}{n(n-1)}$$

$$= \frac{-(\Sigma x)^2}{90} \qquad\qquad\qquad = \frac{-(\Sigma x)^2}{\underline{\hspace{2cm}}}$$

$$= \frac{\underline{\hspace{2cm}}}{90} \qquad\qquad\qquad = \frac{\underline{\hspace{2cm}}}{\underline{\hspace{2cm}}}$$

$$= \boxed{} \qquad\qquad = \boxed{}$$

Le test t:

$$t = \frac{\overline{X}_1 - \overline{X}_2}{\sqrt{\dfrac{s_1^2 + s_2^2}{n}}} = \frac{\underline{\hspace{2cm}}}{\sqrt{\dfrac{\underline{\hspace{1cm}}}{n}}} = \frac{\underline{\hspace{2cm}}}{\sqrt{\underline{\hspace{1cm}}}} = \boxed{}$$

le dl est de 2(n - 1) =

t est _____

_____

_____

C. Reprenez les données de l'exercice D de la huitième série. Ces données constituent votre groupe 1.

Votre groupe 2 est composé de 20 caisses venant de chez un autre commerçant affichant le même slogan publicitaire que le commerçant du groupe 1. Voici la fraîcheur (en heures) des 20 caisses du groupe 2.

Groupe 2: 21, 27, 22, 23,5, 22, 21, 18, 31, 16, 29, 29, 23, 27, 24, 21, 22, 22, 23, 25, 23.

Procédez aux calculs des moyennes, médiane et variances puis faites le test t.

Les moyennes: X_1 = 23,50 heures X_2 =

Les médianes: Md_1 = 3,5 heures Md_2 =

_____

_____

_____

Les variances:

$s_1^2 = 1100$

$$s_2^2 = \frac{n\Sigma x^2 - (\Sigma x)^2}{20(19)}$$

$$= \frac{- (\Sigma x)^2}{380}$$

$$= \frac{}{380}$$

$$= \boxed{}$$

Le test t:

$$t = \frac{23,5 - }{\sqrt{\dfrac{1100 + }{20}}}$$

$$t = \frac{}{\sqrt{}}$$

$$= \frac{}{} = \boxed{}$$

À un dl de 2(n – 1) =

_____

_____

D. Comparez, à l'aide du test t, les deux groupes que voici:

Groupe 1 (nombre d'éléphants mentionnés dans 10 manuels scolaires en sciences humaines): 0, 1, 2, 0, 0, 72, 0, 2, 2, 1

Groupe 2 (nombre d'éléphants mentionnés dans 10 ouvrages de zoologie): 69, 74, 42, 37, 98, 19, 36, 49, 52, 69

$$t = \frac{\overline{X}_1 - \overline{X}_2}{\sqrt{\dfrac{s_1^2 + s_2^2}{n}}} \qquad\qquad t = ?$$

_____

_____

_____

_____

_____

_____

Donc, rappelons-nous...

- Le test t est un test de comparaison de moyennes.
- Lorsque la valeur de t est supérieure à la valeur-seuil, t est significatif et les moyennes sont différentes.
- La valeur-seuil dépend du degré de liberté et du seuil de signification.
- Lorsque les n sont égaux:

$$t = \frac{\overline{X}_1 - \overline{X}_2}{\sqrt{\dfrac{s_1^2 + s_2^2}{n}}} \quad \text{et } dl = 2 \, (n - 1)$$

- Lorsque les n sont inégaux:

$$t = \frac{\overline{X}_1 - \overline{X}_2}{\sqrt{\dfrac{(n_1 - 1)s_1^2 + (n_2 - 1)s_2^2}{n_1 + n_2 - 2}\left(\dfrac{1}{n_1} + \dfrac{1}{n_2}\right)}}$$

et $dl = n_1 + n_2 - 2$

Petit résumé des grands principes de statistique

- Les statistiques ont deux grandes fonctions: 1) clarifier les résultats obtenus en les regroupant et 2) évaluer la part du hasard dans les résultats.

- La moyenne est une mesure de la tendance centrale. Il s'agit d'une mesure algébrique qui se calcule par:

$$\overline{X} = \frac{\Sigma x}{n}$$

- La médiane est une seconde mesure de la tendance centrale. Il s'agit d'une mesure de position qui s'évalue en prenant la valeur de x situé à

$\frac{n}{2} + 1$ ou, si n est pair, en prenant la valeur des 2 x situés

à $\frac{n}{2}$ et à $\frac{n}{2} + 1$ et en divisant leur somme par 2.

- Si la médiane est égale à la moyenne, la courbe est symétrique. Si la médiane est supérieure à la moyenne la courbe a une asymétrie négative. Si la médiane est inférieure à la moyenne la courbe a une asymétrie positive.

• La variance est une mesure de variabilité dont la formule est:

$$s^2 = \frac{n\Sigma x^2 - (\Sigma x)^2}{n(n-1)}$$

• Plus la variance est petite, plus le groupe est homogène. Au contraire, plus la variance est grande, plus le groupe est hétérogène et donc plus la courbe est plate.

• L'écart type permet de juger de la dispersion des x autour de la moyenne. L'écart type est égal à la racine carrée de la variance, soit:

$$s = \sqrt{\frac{n\Sigma x^2 - (\Sigma x)^2}{n(n-1)}}$$

• Plus l'écart type est petit, plus les x se situent près de la moyenne. Au contraire, plus l'écart type est grand, plus les x sont dispersés.

• Il existe plusieurs types de tests de comparaison. Le test t est un test de comparaison de moyennes.

• Le test t peut être utilisé dans le cas d'une courbe normale à distribution continue dont les observations sont indépendantes.

• Le degré de liberté sert à trouver la valeur-seuil. Le degré de liberté est égal à $2(n-1)$ lorsque les n sont égaux et à $n_1 + n_2 - 2$ lorsque les n sont inégaux.

- La valeur de t se calcule, lorsque les n sont égaux, par la formule:

$$t = \frac{\overline{X}_1 - \overline{X}_2}{\sqrt{\dfrac{s_1^2 + s_2^2}{n}}}$$

- Quand les n sont inégaux, t se calcule par:

$$t = \frac{\overline{X}_1 - \overline{X}_2}{\sqrt{\dfrac{(n_1 - 1)s_1^2 + (n_2 - 1)s_2^2}{n_1 + n_2 - 2}\left(\dfrac{1}{n_1} + \dfrac{1}{n_2}\right)}}$$

- L'hypothèse nulle est rejetée si t est significatif, c'est-à-dire si t est supérieur à la valeur-seuil. La valeur-seuil est déterminée par le degré de liberté et le seuil de signification considéré.

- Le seuil de signification peut être de 0,10, 0,05 et de 0,01. Il nous indique la part du hasard dans nos résultats.

- L'éléphant est un mammifère ongulé du sous-ordre des Proboscidiens caractérisé par sa trompe préhensile. Il peut vivre cent ans.

Corrigé des exercices

Sixième série

B.

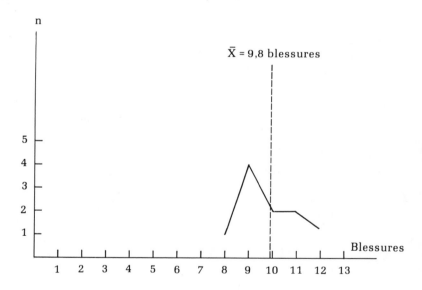

Figure 10. Distribution de 10 mannequins en fonction du nombre de blessures subies.

La moyenne est un assez bon indice de la tendance centrale du groupe.

C.

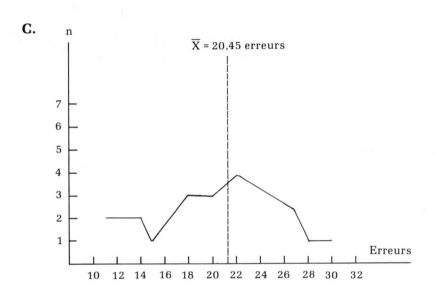

Figure 11. Distribution de 20 adultes humains en fonction du nombre d'erreurs commises lors d'une tâche de conduite automobile.

Encore une fois la moyenne semble bien représenter la tendance centrale.

D.

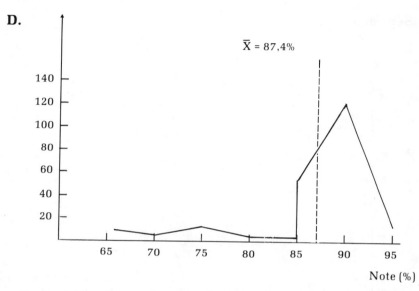

Figure 12. Distribution de 200 étudiants en fonction de la note obtenue à un examen.

Cette fois la moyenne est un très mauvais indice de la tendance centrale car le groupe est, dans les faits, nettement divisé en deux sous-groupes différents, ce que la moyenne ne montre pas.

L'examen distingue très bien les étudiants en deux catégories mais il a le défaut de trancher sans nuance entre les étudiants: cela peut être dû à un problème important que certains étudiants échouent et que les autres réussissent.

Septième série

B.

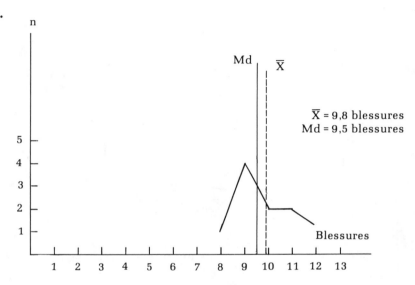

Figure 10 bis. Distribution de 10 mannequins en fonction du nombre de blessures subies.

La courbe n'est presque pas asymétrique, la $\overline{X} \cong$ Md. En théorie, cependant, il s'agit d'une asymétrie positive.

C.

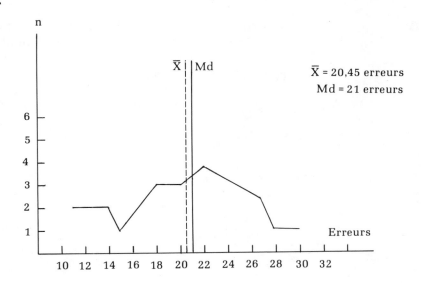

Figure 11 bis. Distribution de 20 adultes humains en fonction du nombre d'erreurs commises lors d'une tâche de conduite automobile.

Encore ici $\overline{X} \cong$ Md. En théorie, l'asymétrie serait négative.

Huitième série

A.

$$n\Sigma x^2 = 12(676 + 841 + 756{,}25 + 729 + 729 + 784$$
$$+ 756{,}25 + 729 + 625 + 729 + 676 + 756{,}25)$$

$$= 12(8786{,}75) = 105\,441$$

$$(\Sigma x)^2 = (324{,}5)^2 = 105\,300{,}25$$

$$n\Sigma x^2 - (\Sigma x)^2 = 105\,441 - 105\,300{,}25$$

$$n(n-1) = 132$$

$$s^2 = \frac{140{,}75}{132} = \boxed{1{,}06}$$

B.

$$n\Sigma x^2 = 10(64 + 81 + 81 + 144 + 100 + 100 + 121 + 81$$
$$+ 81 + 121)$$

$$= 10(974)$$

$$= 9740$$

$$(\Sigma x)^2 = (98)^2$$

$$= 9604$$

$$n\Sigma x^2 - (\Sigma x)^2 = 9740 - 9604$$

$$= 136$$

$$n(n - 1) = 90$$

$$s^2 = \frac{136}{90} = \boxed{1,51}$$

C.
$$s^2 = \frac{n\Sigma x^2 - (\Sigma x)^2}{n(n - 1)}$$

$$= \frac{179\,220 - (\Sigma x)^2}{n(n - 1)}$$

$$= \frac{179\,220 - 167\,281}{20(19)}$$

$$= \frac{11\,939}{380} = \boxed{31,41}$$

D. La moyenne est de: $\quad \overline{X} = \frac{\Sigma x}{n} = \frac{470}{20} = \boxed{23,50 \text{ heures}}$

La médiane est de:

$$Md = \frac{\text{valeur des 2 x situés à } \frac{n}{2} + 1 \text{ et à } \frac{n}{2}}{2}$$

$$Md = \boxed{3,5 \text{ heures}}$$

La courbe est très asymétrique (asymétrique positive) la $\overline{X}$ et la Md étant très éloignées l'une de l'autre.

La variance est de:

$$s^2 = \frac{n\Sigma x^2 - (\Sigma x)^2}{n(n-1)}$$

$$= \frac{639\,080 - (\Sigma x)^2}{20(19)}$$

$$= \frac{418\,180}{380} = \boxed{1100}$$

L'énorme variance obtenue démontre que le commerçant est malhonnête puisque, lorsqu'il fait sa publicité, il se base sur une moyenne qui est un très mauvais indice de la tendance centrale. En fait, il ne faut acheter que des pommes chez ce commerçant, si on tient à tout prix à manger des fruits frais.

Neuvième série

A. $s = \sqrt{s^2} = 1,02$ secondes
La moyenne étant de 27,04 secondes, il y a 3 éléphants qui sont à un écart type sous la moyenne, c'est à dire sous 26,02 s (27,04 – 1,02).

B. $s = \sqrt{s^2} = 1,22$ blessures
La moyenne étant de 9,8 blessures, il n'y a aucun mannequin à 2 écarts type au-dessus de la moyenne, c'est-à-dire au-dessus de 12,24 blessures (9,8 + 1,22 + 1,22).

C. $s = \sqrt{s^2} = 5,60$ erreurs

Il y a plusieurs adultes se trouvant à l'écart type sous la moyenne, c'est-à-dire se trouvant sous 14,85 erreurs (20,45 – 5,60) mais il n'y en a aucun se trouvant à 2 écarts type sous la moyenne c'est-à-dire sous 9,25 erreurs.

D. $s = \sqrt{s^2} = 33,16$ heures

Le fruit le plus frais est à moins d'un écart type de la moyenne alors que le moins frais est à plus de 2 écarts types de la moyenne.

Dixième série

B. Les moyennes:.

$$\overline{X}_1 = \boxed{1,86\,m^2} \qquad\qquad \overline{X}_2 = \boxed{2,48\,m^2}$$

Les médianes:

$$Md_1 = \boxed{1,875\,m^2} \qquad\qquad Md_2 = \boxed{2,53\,m^2}$$

Les moyennes ayant l'air différentes et ces moyennes semblant être de bonnes mesures de la tendance centrale de chaque groupe, t devrait être significatif.

Les variances:

$$s_1^2 = \frac{351,9 - 348,19}{90} \qquad\qquad s_2^2 = \frac{631,10 - 617,52}{90}$$

$$s_1^2 = \boxed{0,04} \qquad\qquad s_2^2 = \boxed{0,15}$$

Les variances étant très réduites nous pouvons prévoir un t significatif.

Le test t:

$$t = \frac{2,58 - 1,86}{\sqrt{\dfrac{0,04 + 0,15}{10}}} = \frac{0,72}{0,13} = \boxed{5,25}$$

Le degré de liberté étant de $2(n-1)$ donc de 18, t est significatif à 0,01 car t $(5,25)$ est supérieur à la valeur seuil pour 0,01 $(2,878)$.

C. Les moyennes:

$\overline{X}_1 = 23,5$ heures $\qquad \overline{X}_2 = \boxed{23,47 \text{ heures}}$

Les médianes:

$Md_1 = 3,5$ heures $\qquad Md_2 = \boxed{23 \text{ heures}}$

Les moyennes ont l'air identiques. Cependant l'une des moyennes représente bien la tendance centrale du groupe concerné alors que l'autre représente très mal son groupe. Il se pourrait donc que t ne soit pas significatif.

Les variances:

$s_1^2 = 1100 \qquad\qquad s_2^2 = \dfrac{225\,605 - 220\,430,25}{380}$

$$s_2^2 = \boxed{13,61}$$

La variance du groupe 2 étant petite, il est possible que t soit significatif. Cependant, la variance du groupe 1 est si grande qu'il serait étonnant d'obtenir un t significatif.

Le test t:

$$t = \frac{23{,}5 - 23{,}47}{\sqrt{\dfrac{1100 + 13{,}61}{20}}}$$

$$t = \frac{0{,}03}{\sqrt{55{,}68}} = \boxed{0{,}0040}$$

À un degré de liberté de 38, t n'est évidemment pas significatif. Nous voyons donc, ici, que le test t n'est valable que si les distributions sont normales. Or la distribution du groupe 1 est beaucoup trop asymétrique pour être considérée comme normale.

D. $\quad t = \dfrac{\overline{X}_1 - \overline{X}_2}{\sqrt{\dfrac{s_1^2 + s_2^2}{n}}}$

$$t = \frac{54{,}5 - 8}{\sqrt{\dfrac{s_1^2 + s_2^2}{10}}}$$

Or $\quad s_1^2 = \dfrac{n\Sigma x^2 - (\Sigma x)^2}{n(n-1)} \qquad$ et $\quad s_2^2 = \dfrac{n\Sigma x^2 - (\Sigma x)^2}{n(n-1)}$

$$s_1^2 = \frac{51\,980 - 6400}{90} \qquad\qquad s_2^2 = \frac{344\,970 - 297\,025}{90}$$

$$s_1^2 = \boxed{506,44} \qquad\qquad s_2^2 = \boxed{532,72}$$

Donc

$$t = \frac{54,5 - 8}{\sqrt{\dfrac{506,44 + 532,72}{10}}}$$

$$t = \frac{46,5}{\sqrt{103,91}}$$

$$t = \frac{46,5}{10,19} = \boxed{4,56}$$

À un degré de liberté de 18 (2 multiplié par n – 1) t est significatif à 0,01. On parle significativement plus d'éléphants en zoologie qu'en sciences humaines (sauf exception).

Appendice 1

Tableau des valeurs du test t pour des seuils de signification de 0,10, 0,05 et 0,01 et des degrés de liberté de 1 à 30.

Degré de liberté	Seuil de 0,10	Seuil de 0,05	Seuil de 0,01
1	6,314	12,706	63,657
2	2,920	4,303	9,925
3	2,353	3,182	5,841
4	2,132	2,776	4,604
5	2,015	2,571	4,032
6	1,943	2,447	3,707
7	1,895	2,365	3,499
8	1,860	2,306	3,355
9	1,833	2,262	3,250
10	1,812	2,228	3,169
11	1,796	2,201	3,106
12	1,782	2,179	3,055
13	1,771	2,160	3,012
14	1,761	2,145	2,977
15	1,753	2,131	2,947
16	1,746	2,120	2,921
17	1,740	2,110	2,898
18	1,734	2,101	2,878
19	1,729	2,093	2,861
20	1,725	2,086	2,845
21	1,721	2,080	2,831
22	1,717	2,074	2,819
23	1,714	2,069	2,807
24	1,711	2,064	2,797
25	1,708	2,060	2,787
26	1,706	2,056	2,779
27	1,703	2,052	2,771
28	1,701	2,048	2,763
29	1,699	2,045	2,756
30	1,697	2,042	2,750
∞	1,64485	1,95996	2,57582

la présentation d'un travail

Vous savez maintenant comment réaliser une expérience et vous savez pourquoi il est utile d'utiliser cette méthodologie (si vous ne le savez pas prennez la peine de relire les deux premières parties et d'en faire tous les exercices!). Mais il ne suffit pas de savoir travailler. Il faut aussi savoir expliquer. Que serait-il arrivé si Copernic ou Newton, n'avaient pas été capables d'écrire correctement un livre?

Les 5 étapes
d'un rapport de laboratoire

Il est très important d'expliquer clairement une recherche que l'on a effectuée: ne serait-ce que pour que le jury du prix Nobel nous choisisse pour lauréat!

Afin que tous aient une chance d'obtenir le prix Nobel, les universités ont développé, dans tous les pays, des méthodes de présentation d'un travail écrit. Il existe, en particulier, un mode très précis pour présenter et rédiger un rapport d'expérience. C'est cette méthode que nous allons étudier.

Ceci ne veut pas dire qu'il s'agit bêtement d'apprendre par coeur une méthode et de s'y soumettre pour réussir ses études. Au contraire nous allons chercher à comprendre les justifications du mode de travail: ainsi il nous deviendra familier et nous pourrons l'utiliser avec facilité.

A. Le contexte théorique et expérimental

À propos de l'hypothèse il a été dit que celle-ci a une histoire, au même titre que la toile du peintre. Pour que le lecteur apprécie l'hypothèse à sa juste valeur il faut lui présenter son histoire. C'est là la première démarche d'un rapport d'expérience: cette partie s'appelle *le contexte théorique et expérimental*. Ce titre signifie que, dans ce chapitre du rapport, on présente les théories et les expériences qui ont déjà été réalisées dans le passé. À partir des connaissances présentées il est alors possible de poser la ou les hypothèses. Plus simplement on peut décrire le contexte théorique comme étant un entonnoir. Au début, des données générales préparent la venue de renseignements plus précis lesquels portent généralement sur des expériences qui ressemblent à celle qui va être effectuée. Puis, ces renseignements débouchent sur l'hypothèse.

Par exemple, supposons que je veuille réaliser une expérience portant sur l'apprentissage et la motivation. Mon but est de vérifier si une motivation d'argent peut améliorer la performance de sujets humains à une tâche de mémorisation. Le contexte théorique commence par l'énoncé du but. Puis, il faut présenter la théorie de la motivation avec des auteurs comme Fraisse et Lazarus. On en vient alors à décrire quelques expériences, parmi les plus récentes: notre choix porterait essentiellement sur des recherches ayant utilisé le même type de tâche que celle que l'on va utiliser. Enfin, l'identification des variables (indépendante: présence ou absence d'une motivation d'argent; dépendante: nombre d'items mémorisés) débouche sur la formulation de l'hypothèse.

Le contexte théorique et expérimental sert donc à dire *sur quoi* le travail porte. Mais, *avant* de réaliser l'expérience, il faut encore dire *comment* la recherche va être effectuée.

B. La méthodologie

C'est à cette question que la deuxième partie d'un rapport est sensée répondre. Cette partie s'appelle la méthodologie. Dans la méthodologie se retrouvent toutes les informations nécessaires à la réalisation de l'expérimentation. Il faut que la méthodologie soit très précise de telle sorte qu'un autre chercheur puisse, même cent ans après, refaire exactement notre expérience afin de vérifier nos résultats. Pour éviter d'oublier des détails importants, la méthodologie est subdivisée en trois sous-parties appelées: *sujets, matériel* et *déroulement*.

La sous-partie *sujets* contient tous les renseignements à propos des sujets. Leur nombre, leur espèce (humain, rat, etc...), leur sexe etc... Cependant, il faut se méfier: il ne s'agit pas de tomber dans la revue de mode et de donner les noms, de décrire les vêtements. Un rapport de recherche n'est pas un carnet mondain!

Non il s'agit bien de donner les informations pertinentes et seulement les informations pertinentes. Ainsi, si l'expérience porte sur la performance à une tâche de mémorisation de stimuli visuels il faut signaler que tous les sujets ont une bonne vue: mais il est inutile de préciser leur religion. À l'inverse, si vous voulez connaître l'influence de la religion sur la perception que les gens ont de la sexualité, il sera très important de préciser combien vous avez de sujets de telle religion et combien de telle autre.

Après la sous-partie *sujets* vous passez à la sous-partie *matériel*, où, vous l'avez deviné, vous présentez votre matériel. Là encore, il faut donner tous les détails utiles et seulement les détails utiles. Après avoir évité la revue de mode il faut aussi éviter la revue de décoration. Dans le *matériel* on débute en décrivant le local d'expérimentation. Puis viennent les appareils qui permettent le contrôle des variables indépendantes et ensuite les appareils qui permettent de mesurer les variables dépendantes. Par exemple, dans l'expérience sur l'influence de la motivation sur la performance à une tâche de mémorisation, il faut tout d'abord décrire le local et préciser si tous les sujets passent dans ce même local. Dans un second temps il est nécessaire de préciser combien d'items doivent être mémorisés, de quel type d'items il s'agit (dessin, mot), le nom et le modèle de l'appareil utilisé pour les présenter (magnétophone, projecteur, tachistoscope, memory drum). Enfin, il faut identifier l'appareil de mesure (compteur électronique, magnétoscope, test objectif, rappel oral, etc...).

Votre lecteur sait maintenant qui sont vos sujets et quel matériel vous utilisez. Il ne reste plus qu'à lui dire comment vous allez faire l'expérience. C'est la troisième sous-partie de la méthodologie: *le déroulement de l'expérience*.

Le déroulement sert à expliquer à votre lecteur comment l'expérience sera réalisée; c'est donc dire que vous y décrivez votre schème expérimental ainsi que les instructions que vous allez donner à vos sujets. En général on commence en expliquant combien il y a de groupes de combien de sujets chacun. On précise alors à quelles conditions de passation seront soumis les groupes et quelles consignes, ou instructions, ils recevront. Toutefois, n'oubliez pas que l'expérience n'est pas commencée. En effet le *contexte théorique* et *la méthodologie* doivent être rédigés avant de réaliser l'expérience. Vous ne devez donc pas utiliser le passé ou l'imparfait. C'est pourquoi vous avez toujours intérêt à tout écrire au présent.

C. La présentation et l'analyse des résultats

Une fois les deux premières parties écrites, il est possible de réaliser l'expérience. Curieusement, c'est là le seul point que vous ne décrivez pas dans votre travail écrit (il est sans intérêt pour votre lecteur de savoir comment l'expérimentation s'est déroulée; que vos sujets soient arrivés en retard aux rendez-vous, qu'une panne d'électricité vous ait fait perdre trois heures de votre temps ou qu'un transistor ait sauté dans votre matériel, ce sont là vos problèmes et non les siens!). En effet, après avoir expliqué *sur quoi* et *comment* vous expérimentez vous passez directement aux *résultats*. La troisième partie du rapport est « *la présentation et l'analyse des résultats* ».

Cette grande section du rapport, qui est d'ailleurs généralement la plus longue de tout le travail, se subdivise en trois: le *mode de mesure*, la *présentation* et *l'analyse*.

Dans le *mode de mesure* il faut expliquer comment les variables dépendantes sont traitées mathématiquement: addition, multiplication, moyennes, analyses statistiques, etc... C'est là une partie très importante car vos lecteurs ne peuvent se fier à vos résultats si (1) ils ne savent pas comment ils ont été calculés et (2) si ils ne sont pas en mesure de les recalculer. Il ne s'agit donc pas encore de présenter les chiffres obtenus mais bien d'expliquer clairement quels traitements statistiques ont été utilisés.

Dans la *présentation* on montre les chiffres moyens obtenus, et ce en utilisant des tableaux et des graphiques. Mais attention! Un tableau ou un graphique n'est pas autosuffisant: il n'existe que pour clarifier un texte. Cela suppose évidemment qu'il y a un texte qui décrit les résultats. Le tableau, ou le graphique, peut se comparer à une photographie dans un journal: la photographie illustre un article, elle ne le remplace pas.

Il n'est pas toujours possible, cependant, de présenter tous les résultats. Par exemple, dans une expérience portant sur dix groupes de 20 sujets chacun, chaque sujet étant mesuré sur trois variables, l'ensemble des données brutes comporte 600 chiffres (10 × 20 × 3): il est inutile d'examiner ces 600 données mais il est indispensable d'étudier les moyennes des groupes. Il faut alors présenter un tableau comportant 30 moyennes (10 groupes et 3 variables) ou 3 tableaux de 10 moyennes chacun. Le texte qui accompagne ce ou ces tableaux est destiné à décrire en détail les diverses moyennes: le groupe 1 est plus élevé que les autres groupes sur les variables 1 et 2 mais il est plus faible que les groupes 7 et 9 sur la variable 3, etc...

Quant aux données brutes il faut pourtant bien les montrer quelque part: les autres scientifiques ne sont pas obligés de me croire sur parole et certains d'entre eux peuvent vouloir vérifier mes calculs de moyenne.

Comment faire pour montrer mes données brutes sans pour autant couper inutilement mon texte de présentation des résultats? La solution est bien simple. À la fin d'un travail existe une partie qui s'appelle *appendices*. Dans les appendices on place tous les tableaux et toutes les figures qu'il n'était pas possible d'inclure directement dans le rapport. Il suffit alors, dans le texte écrit, d'y renvoyer le lecteur. Ainsi, dans ma présentation des résultats, j'écrirais: « voir tableau n° x, en appendice ».

Il n'en reste pas moins que, avec les données qui sont présentées et décrites dans la présentation, le lecteur doit être mis au courant de tous les résultats grâce à des tableaux, des figures et un texte descriptif complet. Les appendices ne remplacent pas la *présentation*. Elles la complètent.

Enfin, dans *l'analyse*, vous examinez vos résultats en fonction de vos hypothèses. Après avoir expliqué vos calculs (mode de mesure), décrit vos résultats (présentation), vous devez maintenant vérifier si vos hypothèses correspondent aux faits observés. On doit signaler que, malheureusement, il est rare que les résultats confirment totalement la ou les hypothèses. Il faut donc exécuter une analyse détaillée afin de montrer sur quels points les hypothèses sont confirmées et sur quels points elles sont infirmées.

L'analyse est donc destinée à faire ressortir les résultats importants, les variations significatives, etc... Votre lecteur doit pouvoir comprendre en quoi les variables dépendantes mesurées ont été affectées par les variables indépendantes.

D. Interprétation

Une fois la troisième partie du travail complétée nous pouvons nous attaquer à la quatrième étape: l'*interprétation*. Il s'agit, ici, de présenter les implications de vos résultats. Ainsi, si vos hypothèses sont confirmées, il est possible d'interpréter les résultats comme confirmant la théorie sur laquelle sont basées les hypothèses. Toutefois il est aussi possible que vos hypothèses soient confirmées mais que cela soit surtout relié à la méthode que vous avez utilisée. Il est également possible que les hypothèses soient totalement ou partiellement infirmées: est-ce la théorie de départ qui est fausse où est-ce vous qui avez commis une erreur méthodologique?

Autrement dit, l'interprétation est une argumentation logique qui a pour but de situer vos résultats quant à leur portée. Il faut noter, d'ailleurs, que cette partie du rapport, tout en devant être claire et logique, est plus personnelle que les autres parties: votre façon d'interpréter les résultats peut être différente de celle d'un autre individu.

E. Résumé et conclusion

Il ne reste plus, dans votre rapport, qu'à faire le *résumé et conclusion*, où, en une page, vous résumez l'ensemble de votre travail et suggérez un thème pour une future recherche. Puis vous faites les *appendices* et les *références*.

Vous trouverez dans les pages qui suivent un modèle de travail qui illustrera les principes que nous venons d'exposer. Celui-ci est précédé de dix règles de présentation d'un rapport de laboratoire. Ces « dix commandements » ne sont pas là que pour ennuyer les étudiants mais bien pour les aider à présenter un travail qui soit agréable à lire. Dans le cas où le lecteur est votre professeur, vous avez tout à y gagner!

Donc, rappelons-nous...

En bref, un rapport de laboratoire comprend 5 parties principales et plusieurs sous-parties, chacune ayant un objectif différent. Tout le monde respectant les mêmes étapes il est plus facile, pour le lecteur, de trouver ce qui l'intéresse dans un rapport donné. De plus, pour l'auteur, le fait de suivre ces étapes réduit les risques d'oublier un ou plusieurs points importants. Dans un rapport nous aurons donc toujours:

CONTEXTE THÉORIQUE ET EXPÉRIMENTAL
  but
  notions théoriques
  variables et hypothèses

MÉTHODOLOGIE
  sujets
  matériel
  déroulement

PRÉSENTATION ET ANALYSE DES RÉSULTATS
  mode de mesure
  présentation des résultats
  analyse des résultats

INTERPRÉTATION

RÉSUMÉ ET CONCLUSION

APPENDICES

RÉFÉRENCES

Règles de présentation
d'un rapport de laboratoire

1. Les titres des grandes parties du rapport sont inscrites au centre d'une page blanche. Chaque section du travail commence donc par une page ne comportant pas de texte mais uniquement un titre.

2. Les pages sont numérotées en haut à droite; les pages titres ne sont pas numérotées.

3. Les sous-titres sont centrés et doivent être bien dégagés du texte afin de ressortir clairement.

4. Le travail est dactylographié à double interligne au recto des feuilles seulement.

5. Le texte ne doit, en aucun cas, être un plagiat. Les citations, s'il y en a, doivent être très courtes. Elles sont mises entre guillemets et le nom de l'auteur est indiqué ainsi que la date.

6. Les tableaux ne remplacent pas un texte; ils le complètent. Un tableau doit avoir un titre et doit être numéroté. Les colonnes et les lignes doivent être clairement identifiées (voir exemple dans le modèle de travail).

7. Les figures, comme les tableaux, complètent un texte. Une figure peut être un plan, un graphique, un histogramme, etc... La figure doit avoir un titre et être numérotée. Les éléments graphiques (axes du graphique, section du plan, etc...) doivent être clairement identifiés (voir exemple dans le modèle de travail).

8. Les tableaux sont numérotés en chiffres arabes selon leur ordre d'apparition dans le travail (et non pas selon l'ordre dans lequel on y réfère). Le tableau 1 est le plus près du début du travail et plus le numéro est élevé plus le tableau est près de la fin du travail. Pour les figures, il faut utiliser une seconde numérotation selon le même principe. Ainsi dans un travail le tableau 1 est le premier dans le travail et la figure 1 est la première.

9. Tout doit être dactylographié y compris les chiffres inscrits dans les tableaux et les appendices.

10. Il ne faut pas confondre référence et bibliographie. Dans les références il faut inscrire toutes les oeuvres mentionnées dans le travail et seulement ces oeuvres, que vous les ayez lues ou non.
   Une référence doit être indiquée comme suit:

   AUTEUR, Prénom (date). *Titre du livre ou de l'article*, ville d'édition, éditeur. (À la machine à écrire, l'italique peut être remplacé par un souligné.)

Modèle de travail

NOM DE L'INSTITUTION

TITRE: Un titre doit bien indiquer le
contenu du travail présenté.

NOM DE L'AUTEUR

Travail fait dans le cadre de tel
cours et remis à tel professeur;
il faut indiquer la date de remise.

CONTEXTE THEORIQUE ET EXPERIMENTAL

3

Le but de l'expérience rapportée ici est de vérifier la relation existant
entre ... etc ....
.... Rappelez-vous qu'il ne s'agit pas de présenter les hypothèses mais
bien de situer la question abordée dans le travail.

NOTIONS THEORIQUES

Le titre qui précède peut, bien entendu, être remplacé par un titre
indiquant quelles notions vont être présentées (la théorie de l'activation,
les expressions faciales, le dessin chez l'enfant etc...).

Il faut expliquer clairement les notions théoriques qui sont à la base
des hypothèses afin que le lecteur comprenne le pourquoi des hypothèses.
Par ailleurs, si les hypothèses mettent en relation plusieurs champs théoriques
(théorie des émotions et théorie de l'activation, par exemple) il faut présenter
l'ensemble des notions nécessaires à leur compréhension: il est alors possible
d'avoir plusieurs titres plutôt qu'un seul, c'est-à-dire d'avoir plusieurs
sections présentant des notions théoriques.

De toute manière, il faut que les notions présentées comportent des
exemples d'expérimentations déjà réalisées et préparent la venue des hypothèses.
Vous avez intérêt à lire des articles scientifiques ou des rapports de laboratoire pour bien comprendre ce qu'il faut faire... etc. ....
....

4

VARIABLES ET HYPOTHESE

A partir des notions théoriques précédentes il est possible de faire varier le facteur ... etc..

Il apparaît alors que les variables suivantes doivent être considérées:

variables indépendantes assignées: ....
....
....

variables indépendantes manipulées: ....
....

variables dépendantes: ....
....

Hypothèse: ....
....
....

METHODOLOGIE

6

Afin de vérifier l'hypothèse de cette recherche il faut faire varier les facteurs ... etc. ....
D'autre part, il est nécessaire de contrôler les facteurs ... etc. ....
....

SUJETS

Les sujets sont au nombre de .... etc. ....
....
....
....

MATERIEL

Les sujets passent, individuellement, dans un local insonorisé mesurant 2,5 m par 3 m. A l'intérieur de ce local, dont la température et l'éclairage peuvent être contrôlés, se trouve un fauteuil à inclinaison variable. En face du fauteuil, un panneau de stimulation, comprenant 6 ampoules rouges et 6 ampoules bleues de 25 watts chacune, permet d'indiquer .... etc. ....
....
N'oubliez pas de mentionner tout le matériel utilisé et de donner, pour chaque appareil, les spécifications nécessaires (marque, numéro de modèle, niveau de précision, unité de mesure): toutefois ne donnez pas de détails inutiles (un crayon utilisé par l'expérimentateur, qu'il soit à l'encre ou au plomb, reste un crayon!). .... etc. ....
....

DEROULEMENT

Le premier groupe de 20 sujets se présente à un test d'évaluation au cours duquel chaque sujet remplit le test ASTA et le test S.N.A. Les dix sujets ayant à la fois une cote d'anxiété élevée et un niveau d'achèvement fort sont conservés, les autres sujets étant remerciés. Il en va de même des sujets des groupes B, C et D.

Chacun des quatre groupes, maintenant réduit à 10 sujets, va être soumis à des conditions de tâche différente. Chaque sujet du groupe A .... etc. ....

Il s'agit donc dans cette partie du travail d'expliquer clairement quelles sont les différentes phases de l'expérimentation. Il faut, bien sûr, donner les durées de chaque phase, expliquer l'enchaînement des phases et la manipulation des variables. Autrement dit, c'est ici que vous présentez le schème expérimental. Vos résultats seront valables si et seulement si votre schème expérimental est valable. Le "déroulement" est tout aussi important que l'hypothèse. ....

PRESENTATION ET ANALYSE DES RESULTATS

MODE DE MESURE

Chacun des 40 sujets étant évalué sur 3 variables dépendantes (nombre d'erreurs, temps de latence et note obtenue), et ce pour chaque minute pendant 20 minutes, il apparaît que le nombre de résultats bruts est de 2400 (voir tableaux 11, 12, 13 et 14 en appendice).

Afin de traiter ces données brutes, les résultats sont regroupés en fonction des groupes A, B, C et D. Puis, il est nécessaire de procéder ...... etc. ....

Il faut donc, ici, expliquer clairement comment les données brutes sont traitées, c'est-à-dire les diverses moyennes et les diverses méthodes statistiques utilisées. N'oubliez pas que le lecteur doit être en mesure de refaire vos calculs à partir des renseignements fournis. S'il en est incapable, c'est que vous avez mal fait votre travail, c'est-à-dire que vous n'avez pas clairement présenté votre mode de mesure.

PRESENTATION DES RESULTATS

Dans cette partie, il s'agit évidemment de présenter les résultats obtenus c'est-à-dire de les décrire à l'aide d'un texte complété par des tableaux et des figures. Il est possible d'avoir plusieurs sous-titres selon votre schème expérimental.

10

Résultats des groupes A et B

Les groupes A et B accomplissent la tâche, tantôt simple et tantôt complexe, sans être motivés. Les résultats montrent que, sur deux des trois mesures, il ne semble pas y avoir de différences entre les deux groupes. En effet, comme le montre le tableau 1, les moyennes du temps de latence et du nombre d'erreurs, pour chaque minute, restent comparables entre les groupes A et B.

TABLEAU 1. Résultats moyens des sujets des groupes A et B durant chacune des 20 min d'expérimentation.

GROUPE A	1	2	3	4	5	6	7	8	9	10	11	12	13	14	15	16	17	18	19	20
Nombre d'erreurs	3	4	4	4	3	4	3	3	4	3	4	5	6	8	9	5	4	3	4	4
Temps de latence en sec.	1	1	1,5	1,6	1,1	1,3	1,3	1,4	1,5	1,4	1,3	1,5	1,3	1,6	1,6	1,5	1,3	1,4	1,5	1,4
Note obtenue	5	5	5	4	4	4	4	5	3	5	5	4	2	1	0	1	4	3	5	4

GROUPE B																				
Nombre d'erreurs	3	3	4	3	4	3	3	3	4	3	4	4	7	8	8	6	4	3	3	4
Temps de latence en sec.	1,1	1,1	1,4	1,6	1,1	1,2	1,3	1,3	1,6	1,4	1,3	1,5	1,3	1,6	1,5	1,5	1,4	1,4	1,3	1,5
Note obtenue	5	4	5	4	4	5	4	5	5	3	5	4	1	2	0	1	4	5	3	4

Toutefois, au niveau de la troisième mesure, soit la note obtenue, il apparaît des différences plus marqués. De fait ... etc. .... il s'agit donc d'expliquer les variations importantes qui se produisent de telle façon que le lecteur ne doive pas étudier le tableau lui-même: le lecteur ne regarde le tableau que

pour mieux comprendre le texte descriptif. Il en va de même, d'ailleurs,
pour les figures.

Ainsi, le texte pourrait se poursuivre: Quant aux variations qui
semblent se produire lors des minutes 13, 14, 15 et 16 sur les mesures de
nombres d'erreurs et de notes obtenues, elles se produisent aussi bien
dans le groupe B que dans le groupe A. La figure 1 permet de faire ressortir
ce phénomène pour la première mesure.

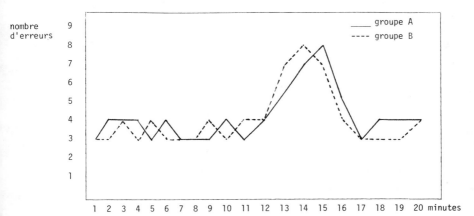

Figure 1. Variation du nombre d'erreurs par minute pendant 20 minutes
pour les groupes A et B.

Il y a donc une forte variation à partir de la minute 12 et ce ....
etc. ....
....

Résultats des groupes C et D

Il faut continuer à présenter les résultats en utilisant un texte descriptif complété par des tableaux et des figures. N'oubliez pas, bien sûr, que les données brutes se trouvent en appendices: les tableaux et les figures qui se trouvent ici sont destinés non pas à montrer que l'expérience a été faite mais bien pour expliquer les résultats obtenus. Votre travail consiste à écrire un rapport qui pourra être compris du plus grand nombre de gens possible
....
....

ANALYSE DES RESULTATS

L'utilisation des analyses de variance permettra de comparer, d'une part, les groupes A et B aux groupes C et D et, d'autre part, de comparer chacun des groupes aux trois autres groupes. De plus, il y aura étude de la corrélation pouvant exister entre les variations de chaque groupe durant les 20 minutes d'expérimentation.

Analyse de variance: comparaison entre A et B, et C et D.

La comparaison des variances des groupes A et B d'une part et C et D d'autre part fait ressortir une différence significative à 0,01 pour ce qui est de la note obtenue. Toutefois cette différence est en interaction avec le facteur minute. Ainsi, le tableau 3 montre que .... etc. ....
....

13

....

.... Il vous faut donc, après avoir décrit les résultats dans
la présentation, vérifier quelles variations sont statistiquement intéressantes.
Vous devez également, dans l'analyse, mettre en relation les variations obser-
vées avec les variations prévues par les hypothèses. Ainsi, le lecteur est
en mesure de comprendre en quoi la ou les hypothèses sont confirmées ou
infirmées par les faits .... etc. ....

Analyse de variance: comparaison de A, B, C et D

    Vous continuez vos analyses ....
.... etc. ....
....

INTERPRETATION

15

Il ressort de l'analyse des résultats que la variation de minute à minute prévue par l'hypothèse 1 se produit pour deux des trois mesures étudiées. Toutefois, la note obtenue ne se comporte pas comme les deux autres mesures. Au contraire, il apparaît que ....
....

Dans cette partie de votre rapport d'expérience vous dites rapidement et clairement en quoi vos hypothèses sont confirmées ou infirmées. Mais, surtout, vous devez expliquer la portée de vos résultats. Les hypothèses peuvent être infirmées sans pour autant remettre la théorie de base en question: vos résultats s'expliquent peut-être en grande partie par la méthode que vous avez utilisée. C'est à vous de voir comment vous expliquez le fait que vos hypothèses aient été vérifiées ou non. Il s'agit de la partie la plus personnelle de tout votre rapport. Mais attention! Vos arguments doivent être logiques si vous voulez que les autres chercheurs soient de votre avis.

RESUME ET CONCLUSION

17

     A partir des travaux de XYZ en 1978 et de ceux de WZK en 1979, il est possible de .... etc. ....

     Vous devez, en une page, résumer l'ensemble de votre travail. Un lecteur qui n'aurait pas le temps de lire tout votre travail devrait pouvoir, en lisant uniquement le résumé, connaître les grands aspects de votre expérience.

APPENDICE A
RESULTATS BRUTS

TABLEAU 2. Résultats bruts du nombre d'erreurs pour tous les sujets du groupe A durant les 20 minutes d'expérimentation.

Sujets \ Min	1	2	3	4	5	6	7	8	9	10	11	12	13	14	15	16	17	18	19	20
1	2	3	3	3	4	3	2	3	4	4	4	2	7	9	11	12	8	4	3	2
2	4	3	3	4	5	2	4	4	3	3	3	6	5	8	9	7	3	4	3	3
3	4	4	3	3	3	3	3	3	3	3	5	5	8	8	8	5	3	3	3	3
4	3	4	3	4	4	3	4	4	4	4	8	7	9	9	6	6	5	4	4	4
5	6	6	6	2	3	2	4	3	3	1	4	4	4	3	13	2	3	2	8	10
6	4	4	4	2	1	1	1	3	4	4	4	7	7	6	6	5	5	5	5	5
7	4	2	3	4	2	3	7	2	4	4	3	12	5	3	4	7	2	2	9	9
8	5	4	4	5	5	5	3	3	2	1	1	1	6	7	8	9	1	2	11	4
9	1	2	4	5	9	9	2	3	2	4	1	2	7	7	9	8	2	7	2	1
10	4	1	5	5	4	4	4	4	4	5	5	3	4	7	10	8	3	2	5	3
11	2	6	6	6	2	4	4	2	5	6	3	1	12	8	19	9	4	3	6	1
12	1	1	1	1	1	6	2	2	5	4	3	3	3	17	17	13	4	2	3	4
13	3	3	3	7	3	3	3	3	1	1	2	2	8	8	8	3	2	4	5	6
14	2	6	3	3	2	2	6	7	4	2	3	2	3	6	0	9	7	4	3	2
15	1	2	3	4	4	4	6	1	9	6	6	4	5	12	17	13	5	2	5	4
16	1	6	6	6	6	6	4	2	2	2	5	5	5	5	5	5	8	6	7	4
17	5	2	2	7	8	2	1	3	5	3	3	4	13	13	17	18	2	1	2	3
18	6	1	2	6	9	1	5	7	7	3	4	5	2	16	16	17	0	0	4	3
19	4	3	3	3	6	7	5	5	6	5	7	9	17	5	5	4	4	4	4	5
20	3	8	3	2	5	5	4	3	2	1	9	11	7	12	18	13	17	14	1	2
Moyennes	3	4	4	4	3	4	3	3	4	3	4	5	6	8	9	5	4	3	4	4

REFERENCES

21

Indiquez ici les références de tous les auteurs mentionnés dans le rapport et seulement de ces auteurs. Les références sont classées par ordre alphabétique des auteurs.

MACHIN, R., TRUC, M. (1972). Le bidule vert. Bruxelles. Truc et Bidule éditeurs.

QUILLE, B. (1980). Tibia et rotule brisés. Paris. Editions du mois de septembre.

TRUC, M. (1955). Le scroumphage des bidules. Montréal. Editions du mois de novembre.